據中國國家圖書館藏清雍正三年呂氏天蓋樓刻本影印原書版框高十七·九釐米寬十三·七釐米

中華再造善本

據中國國家圖書館藏清雍正
三年呂氏天蓋樓刻本影
印原書版框高十七·九釐
米寬十三·七釐米

中華再造善本

晚邨先生文集

南陽邨莊

呂晚村文集清代懸為厲禁緣死後因曾靜之獄牽涉羅織
清世宗詔燬其板焚其已印行者故世間莫得而傳焉此正
集八卷續集四卷刻於雍正三年由其族曾孫為景亦其家
藏鈔本於沈椒園相與商訂付梓據其自述謂較桐城孫舫
山刻於白門者為多今孫刻不知天壤間尚有未毀否此本
楮墨精好的係初印想印行未久即遭禁厄然二百餘年湮
藏至今既未遭鄉愿懼禍私毀亦未致塵封蠹蝕殊可寶貴
丁卯過滬得於受古書肆一見不復輕棄藏弆三年未暇展
讀間嘗少為翻閱見其崇奉考亭廼闡明洛閩學術之徒何
至故後復遭大辟嘗質疑於吾友鄧孝先亦謂獄別有因今
日雪窗開卷玩讀知其種族之念甚深而致禍之由則指摘
同社攻詰時人文肆意譏謗恣筆為文不少寬假幾如禹鼎之
鑄奸燃犀之照怪覽其遺編竟無清室年號所撰碑銘繫以
干支如孫子度墓誌銘秉筆特書曰生萬曆甲寅四月十五
日得年三十有九之五月二十有八日卒蓋其不臣之心遠
師靖節有可考見無惑乎當時士夫摭拾上聞必欲火之以
為快也余所不可解者既已義不帝秦何以順治十年而應
邑試誅伐貳臣何以蒙叟八十請以言壽未免與其素性相
違其殆君子之過如日月之食乎胡清滅後中華民國十九
年一月三日高郵蕁翁董增儒識於揚州寓齋

吕晚村先生文集目録

卷之一

書

卷之二

書

呂晚村先生文集目錄

卷之一

書

卷之二

書

卷之三

書

卷之四

書

卷之五

序 論文

卷之五

卷之六

論辨 記 題跋

卷之六

書舊本朱子語類

書大學切己錄卷首

識碧山學士傳稿後

跋八家詩序後

書西樵兄遺命後

卷之七

墓誌銘　祭文

隆德令贈奉直大夫靜寧州刺史費公墓誌銘

孫子賡墓誌銘

從子進忠墓誌銘

從子慶忠壙誌

從子愚忠壙誌

從子婦孫氏墓誌銘

從孫瑞基墓誌銘

哭自牧姊兄親家文

祭錢子與文

祭董雨舟文

哭阿書文

卷之八

右　曾大父晚村先生古文如干首係　王父氷遴先生手輯距今三十餘年矣憶丁酉歲爲景於舊俺中檢得什襲珍秘不輕以示人近日白門刋本係桐城孫舫山所編惜彼時未見全集惟據傳本授梓雖考訂精核而掛漏尚多懼

集惟謙傳本後梓雖考訂精核而掛漏尚多爛
白門刊本係桐城孫蘇山所編惜彼時未見全
是於舊篋中檢得什襲珍藏不輕以示人近日
來遊先生于斯距今三十餘年矣憶丁酉歲為
右 曾大父晚村先生古文如干首係 王父

未嘗從事直無一言一動之是此病不是小小平生言距陽明却正坐陽明之病以是急欲求軒岐醫治耳前聞之韞斯謂老兄將辭錢氏之席冀可以俯慨夙心故托韞斯相致今承教未可怱然度賢者於去就之義審之必精不敢強也亦惟潔已以待將來而已至謂近思錄小學兒輩屢讀刻期可了此莫與古人師叐講習之說有礙否上蔡謂程子善言詩念過便教人省悟古人所以貴親炙之也如何如何儀禮經傳通解十四冊已收領訖所言茗中善本可得借抄否并望留神餘不一一

復張考夫書

杭歸得手教深喜道體安和復晤寅旭謂尊駕不日過齋因爲脩整破榻灑掃以待者浹旬矣而竟不見杖履之及度今已及刈穫之期或更須遲日敢先致區區來教謂言行錄之難成其中條欵誠有如台慮之所及者傳習錄之批不欲與世更起爭端皆足以見先生實學爲已鞭辟近裏之至意其所以示儆者更深切矣獨所謂非義之簞食不可受人欲仍就蒙館不則寧枯槁楊園似有若將浼焉托詞以拒者則某所徬皇回惑而不自知其由也竊聞君子守先待

後其所至止君公安富尊榮子弟孝弟忠信蓋其語嘿風流皆足以廉頑立懦固不在乎一卷之書一鈴之說也若言行傳習二者亦因去歲先生以無所事事爲歎然則又妄揣以爲與伊川别事做不得惟有輯書有補之義相當故同商隱兄舉此奉商亦惟先生可否初不敢以爲必然也然則先生辱教何必著書不著書何必辭去哉再四尋繹意者先生向時以爲有可就之義者謂其足以陶鑄有成不意年來舉動乖張志氣隳落有悅從而無繹改深知其不可與有爲大背乎先生之初衷乃始爽然致悔於失人失

言斯其所謂非義者而加以是亦教誨之苦心乎果爾某則以爲先生期之過高待之過切非因材之道也某本薄劣識趣疎庸通身病痛隱微深痼不可指數但存此愛敬長者之一念未嘗澌滅庶可不棄絕之耳韓持國之治室脩窗陳同甫之栟梨歲禮雖老而不學議論狂頗而不終擯于程朱或亦有道與人之一例也抑更有請教者先生所謂三百年間紀載失實不可信于後世經變亂刪脩盡非事實愚則以爲此自古史乘之弊如此不獨今日也開國之時文臣不如武臣此亦恒理人物高下本不論文武况此

但錄其一言一行耳即朱子前集亦首列趙普曹彬潘美等若趙普爲人律之理義有爲君子所必誅者而朱子以之冠集此亦因世次節存或更有義也復辟議禮三案東事若修史論事則因事而論人關之載之皆當嚴核於此似可以不論即論亦取其近是者而已若必考論平生行修言道足以當百世之師而後得存則朱子自有伊洛淵源錄在其道學諸公之入言行亦李幼武之所爲非朱子意也然即淵源錄論之如呂氏之學禪張天祺朱公掞之議論多過游定夫之謂前輩不曾看佛書王信伯之學術不正

李先之周恭叔之晚節不終邢和叔之後來狼狽宜皆闕而不載者而淵源且及之則他可知矣若精論學問之至則本朝止有薛文清一人然其言醇正而行亦有疎略者將無本朝無足存者乎至於節義循良文學此皆史法取人非言行錄之義例也鄙見此書之體當遵朱子義例不必於朱子之上別求春秋之旨文獻無徵亦止就目前所知見存一代之崖略以俟後之學者而已如旁搜廣覽務求備盡雖史局纂脩徵羅宇内恐不能無遺憾矣然今日有學識之君子不就其所知見而折衷之將來日更泯沒又何所依傍哉事關學術人心同志商確不期行世似非知小謀大妄希表見者比至於徇外為人亦各求其志之所在義之所歸恐不得於燔書而廢烹飪之用也惟先生所謂心力可惜韶光無幾當玩心於先代遺經則此義更有大於斯者然則先生即以尊經實學指教後生亦不可謂非其義所出矣又何必枯槁楊園之鄉乎鄙私頑戇惟先生其終教之埜分八錢附上便間幸致朱兄此事孟浪妄舉竟不料理將來某只得自為荒壟用耳宗前處望先為一一致明竚望南臨以盡請益

復張考夫書

别後輯略及延平答問二書俱繕寫訖刻工歲前無暇尚未上板淵源錄領到即發抄矣近思錄雖有二本俱未盡善專望藏本是正聲始姊丈有一本自稱勝坊刻不知果否云尚在几案幸幷示之來書所云學術不端此大非細故竊謂流俗陷溺之禍小邪說亂眞之害大哆口論學便以排詆先儒爲事此的的呵佛駡祖心傳就其議論躬行截然兩橛如前數書且鄙爲老生常談矣某之不揣固陋欲繕刻諸書正如尊教數年以來神馳函丈正謂世教日敝學統幾

絕巍然楷模惟先生而已某於此事頗思究竟願得晨夕以承教益其所依望者甚鉅甚切固不苐爲兒子輩也澉湖之約固知終踐但聞後歲則已過其期矣故敢請耳惟望不鄙棄而許之幸甚幸甚垂諭教子之道敬佩格言翁目前愜志者少且冬春多事明歲頗艱於力戊申奉攀又多一番周旋故竟虛席以待伊洛之臨講矣汝典兄曾一面即嘆其和粹眞篤近月少見佩蕙兄雖未晤尊鑒必不爽當謹識之商隱予高兩兄幸爲道意旦中兄已東還矣儀禮經傳通解所闕數卷冬底可得借抄否冗次率復不備

與錢湘靈書 別號圓沙

自丁酉讀行卷來夢寐傾倒於先生至矣癸丑冬刺船毘陵奉訪不遇歸來怏怏若失及先生主講舊京而弟又年來病廢不能千里命駕相慕如吾兩人慳於一面如此真可怪也然吾輩投契本不在形骸雖千載上下固當几席遇之況生同居近筆札可通造物即狡獪不能禁吾神思不相接也伏讀教言及見懷之作情深氣盛骨峻神清彷彿與子瞻山谷挑燈夜對歎息希覯之才視目前紛紛名碩真不堪奴僕耳然又竊意詩文即歷倒古人不足盡先生地界向

上更有事在先生囊落塵網固無可言者今幸已灑然矣顧視宇宙至寶棄置籬壁間無人掇拾具眼有力者亦復漫然過之反皇皇於瓦礫沓礦求零星之獲無乃犯孟氏不盡才之訶耶又思先生篤學嗜古於此必久矣深造自得有非淺陋所知測耳狂言正欲盡發所藏不僅博夜窗一斛渠也便閒望不悋一領膈辱教之明年設帳何地乞詳示以便郵寄弟比爲了知言集先刻諸大家專稿惟唐荊川先生未得全本先生久處毘陵必熟習其子孫故舊能爲弟一蒐索否天蓋樓揀選目下亦將增定全集尊稿乞更

惠一本若得近作未刻者以懸式天下令聽塗毒鼓而死鼻返魂香而生總在掌握間亦大快事也新刻金稿一册奉爲消寒破睡之具稚子行遽欲言一時收拾不上且俟再報耳

收拾不上且俟再報耳

金稿一冊奉爲消寂破寐之具稚子行遠欲言一時而死驗返魂香而生總在掌握間亦大快事也新刻惠一本若得近作未刻者以懇式天下今躡迹芳跋

復高彙旃書

道之不明也幾五百年矣正嘉以來邪說橫流生心害政至於陸沉此生民禍亂之原非僅爭儒林之門戶也歷朝諸君子知正其非然卒不能窮其底裏奏廓清之功中賴忠憲先生以正心大節闢之於前今又得先生淵源維閩承之於後自來學者再世相傳克昌厥緒未有若斯之盛者也施虹玉兄來具述德門孝友躬行家庭授受之樂且諗新安諸友講習紫陽得先生之鼓舞劘礪日益光大反經距邪行兆已見實天下後世之福聖道之興其在茲乎不禁魂夢之飛越也某荒陋腐子少失怙恃顛危廢學頹墮無成徒以口耳之末騰虛聲於汙俗致驚人宗廼屈慮枉詞下先村僻又須以大刻教之指歸勉其不力至於誘掖獎借有非某之所敢當者再拜受讀喜懼交集伏歎先生嘉惠扶進之心何如是其遠且至也敬謝敬謝手教謂陸泒沸揚朱學湮塞從陸者易從朱者難足盡末流波蕩之失某竊維其故亦由從來尊信朱子者徒以其名而未得其真而近世闡提陸說者其權詐又出金谿之上金谿之謬得朱子之辭闢是非已定特後人未之思而讀耳若姚江良知之言

竊佛氏機鋒作用之緒餘乘吾道無人任其惑亂夷考其生平恣肆陰譎不可究詰比之子靜之八字着脚又不可同年而語矣而所謂朱子之徒如平仲幼清辱身枉己而猶哆然以道自任天下不以爲非此義不明使德佑以迄洪武其間諸儒失足不少思其登堂行禮瞻其冠裳察其賓主儔伍知其未曾開口時此理已失麤得滿堂不是耳又安問其所講云何也故姚江之罪烈於金谿而紫陽之學自吳許以下已失其傳不足爲法今日闢邪當先正姚江之非而欲正姚江之非當真得紫陽之是論語富與貴章先

儒謂必取舍明而後存養密今示學者似當從出處去就辭受交接處畫定界限札定脚根而後講致知主敬工夫乃足破良知之黠術窮陸派之狐禪蓋緣德祐以後天地一變亘古所未經先儒不曾講究到此時中之義別須嚴辨方好下手入德耳幸聽妄議自知麤狂無當於理惟先生不棄其愚而教正之幸甚幸甚家刻朱子遺書七種呈覽其論孟精義儀禮經傳通解正在繕寫以力艱未能速成尚遲異日虹玉兄歸途取道錢塘矣其篤志好學敏鋭而端醇目中尠覯又足窺先生取友與人之無不善茲以敝門

人董生便道謹令肅謁率泐附候陰令凝寒初陽潛復伏惟爲道愛護以副遠望不宣再拜

某按沈龍江文雅社約書劄一條云君上至尊臣下表章未嘗用紅紙紅簽以爲敬乃鄉俗往來率用全紅無乃侈乎其言甚當承先生賜帖亦似過隆今後願先生一槩書劄止用白簡或雙幅或单帖以存示儉示禮之意未知是否何如某又拜言

答某書

茅齋晤對未盡萬一贈言在耳至今如雷此刻得十月廿八日書千里之外經年之別諄諄不忘以良規相勗何見愛之至斯也感激感激弟本庸人未嘗學問丙午所爲亦一時偶然無關輕重相知者喜其有片長足錄未免稱許過當聞者因而疑之議之亦其情也足下又從而洗刷勸勉之益令人愧死耳然故人善善之長同郡觀察之愼於此具見君子愛人成人之意周詳篤摯又非尋常期贈比也感謝感謝自別後醫藥之事凡外間見招者一切謝却已一年矣只知交及里中見過有不能辭者間一應之初亦未嘗計及譽呰損益但於斯有未能自信處恐致誤人以此謝却耳不意其已有合于良箴也今歲屈致考夫兄在舍求其指教冀於身心間稍得收拾未知有受益之地否耳張佩璁已會過有志之士也朱韞斯曹射侯兄弟視兼山俱安好中庸輯略已成書延平答問刻及其半近思錄尚未上板俟刷印時自當寄覽雲士處五書當即致去寄信客此刻即行倉遽草草不備

答潘用微書

某南村之鄙人也至愚極陋未嘗學問幼讀朱子集註而篤信之因朱子而信周程因程朱而知信孔孟故與友人言必舉朱子爲斷友人遂謬以爲好理學者其實未嘗有聞也朱子所謂使人一日見其面目聽其辭氣察其所爲則亢然一庸人耳其不唾而棄之者幾希吾友道原稱足下清操篤志以道自任則必學務爲已其於取友輔仁不啻詳且嚴矣過聽人言辱以長書下問以先賢不可得聞之言質之未嘗有聞之庸人此則足下之失人失言亦非某之所冐

昧敢當也足下書云篤於信孔孟故深於疑程朱某則不然竊恐於孔孟未必篤信耳果篤信孔孟則未有更疑程朱者若疑程朱之不合於孔孟某將謂孟子便應疑却孔門但言仁孟子則言仁義孔子言性相近孟子則言性善可疑也且不止此將謂從孔子便應疑却孔門問仁孔子答之彼此異詞無一言之同又何從得所謂一定之論明聖賢之旨趣爲後學之宗依耶如此則直合疑殺東坡所云疑漢不曾有楊子雲也足下書又云宋賢之所謂理卽老莊之所謂道且未說程朱卽老莊二公亦未肯心服在無怪

乎觸處皆疑也嘗聞之矣言不難擇而理未易明必於古人之書反覆玩味寬心游意使其所說如出於吾之所為無復纖芥之疑而後發言立論辨其可否不則理有未明於人之言有未能盡其意者豈可遽絀古人而直任胸臆之所裁乎某之所聞於朱子者如此若兩書中云云某學識界闇實不能辨也應君從未識其人書中謂其有論宋賢性即理之非則知其人亦未盡人言而輕於立說者或者其所辨論足以超越前古庶幾與足下鼓吹有運斤投芥之合乎來書已轉托友人識其人者遞去得其報當奉寄也

吾友道原云足下曾熟張考夫兄某之畏友只考夫而已然其人亦篤信程朱者足下若謂直接孔孟鄙棄一切則當自有同志倘欲從程朱以得孔孟則盍不就考夫質証之乎道原兄行促適患齒痛不能握筆口授兒子奉覆高明以為如何

與施愚山書

去歲得九日手書兼荷綠雪青螺之惠秀色清芬亮溢村屋恍如對敬亭見君子也龔公歸時欲數行候謝而臨行相左深以爲慽頃接教言重辱垂注西望天末但有神往耳先生膺斯世斯文之望所居與游論文講義流傳遠近在陶鑄中者不爲少矣某跧伏荒陬日趨弇陋偶於時藝寄發狂言如病者之呻吟亦其痛癢中自出之聲而賞音者以爲有當於歌謳顧先生亦有取焉又自懺然也至謂痛抹陽明太過爲矯枉救弊此則非某所知平生於此事不能含糊者只有是非二字陽明以洪水猛獸比朱子而以孟子自居孟子是則楊墨非此無可中立者也若謂陽明此言亦是矯枉救弊則孟子云云無非矯救將楊墨告子皆得並嚮於聖賢之路矣且所論者道非論人也論人則可節取恕收在陽明不無足法之善論道必須直窮到底不容包羅和會一着含糊即是自見不的無所用爭亦無所用調停也使陽明而是則某爲邪說固不得謂之太過陽明而非則某言猶有未盡者而豈得謂之太過哉從孔孟程朱必以辨明是非爲學即從陽明家言渠亦直捷痛快直指朱子

爲楊墨未嘗少假含糊也然則不極論是非之歸而務以渾融存兩是不特非孔孟程朱家法卽陽明而在亦以爲失其接機把柄矣某所以寧犯不韙之名而不敢以鶻突放過也先生不鄙其愚伏望更有以垂誨之幸甚幸甚比欲蒐尋三百年八股文字成知言集一書凡經生社稿無不入選貴郡爲聲氣淵源遺文必多望爲某一一訪購羅致感何如之燓公爲寫知言集未得卽來計秋深過候先生稿樣望先時料理成帙渠到便於卒業也尊文領讀猶恨其少小題湖筆草率絆緘痔瘦作惡不能握筆口授兒子奉候不恭

與施愚山書

瀕行走別寓齋不值即以尊稿致許兄次日早發遂不能再詣至今悁然倥傯中草草讀先生之詩未能盡窺堂廡已信其遠則纓帶岑王近則凌轢何李無疑也然微窺先生有不欲以是爲了却一生者則又深歎致遠明志其進取者大矣近世作者得到先生境界不知復有幾人而尊意如此此非流俗所知也而且咨嗟太息以直諒下責於村子何敢當何敢當然不敢不仰承尊旨以求正於君子竊謂古今論詩者淺之爲聲調爲格律深之爲氣骨爲神理盡之矣以此數者論先生之詩所謂子女玉帛羽毛齒革君之餘足以波及天下而何以益之無已則六經之義乎孟子曰王迹息而詩亡詩亡後春秋作然則詩之義春秋之義也全唐詩人較量工拙未必盡讓子美而竟讓之者諸人工於詩子美得此義也由先生今日推之極於大成敢謂更不須進步然所謂進步者亦不過於聲調格律氣骨神理間脫落變化而已其著作能方郝陵陽虞道園矣講學能駕吳幼清許平仲矣先生試取此數子之集平氣以衡之得毋尚有歉然於中者乎然以春秋視數子曾不如其無有耳

豈數子之著作講學猶有所未工哉亦或失其義也先生誠退求諸此不爲外物所動洒然特立乎千仞之崖其視郝虞吳許直不屑點我足汗耳不然則所爲方爲數子者無論是世情語非世情語是未及是過之總只在彼圈䙡中終無出理此如風轉帆回滿船物色一齊掉轉百貨到家比之漂泊狂濤時寶則猶是也今乃爲我有耳先生得無意乎某褊心迕俗轉喉觸諱非先生其何敢發此狂言耶比歸里門覩聞無非詫異向所謂由都會以及郡縣者益駸駸見逼矣目下决計活埋於南陽村舍有句云同流合汙非所能絶人逃世從茲始將以巨石支扉不復與城闕周旋矣先生倘不鄙其迂隘有取乎論詩之義則他日扁舟問我於岸蘆叢竹間挑燈燒菜藉草談經亦自有一番景致也丹陽道中次韻得一首錄正外所委已修改如法并摹印二百册附樊公馳上雲泥睽隔臨書依戀

與施愚山書

歲杪拜書即匿影南村腐儒過計謂人心惡薄日甚即殺運所開聊避賭聞竊恐不免入春以來風雨飄忽草木時驚竄息中言念高賢渺焉天末未嘗不搔首睠懷也樊公來得詳近履捧誦手教如接音徽世事紛紜至斯文危徵絕續之會先生幸脫塵鞅亟以大擔壓肩與起來者任不小小却於分內亦只有此事合作懸知洒然一切隨地之龐正不足當知道者之回顧沾帶矣尊著領讀理法兼至真大雅之作即入集以惠後學事理無大小文字亦猶是也有謂此與事理有別與凡文字又有別知其人於事理文字俱成斷港絕流未有見處在君平握粟尚可言忠孝况本來此物此志乎論文正當共明此義也咏見贈詩風力又別具一格鍾司徒書法種種巧妙總是熟中生耳妄次三律用志懷企非敢以巴里和春雪也又承葛香之惠厚意篤摯令人不敢辭謹拜珍賜至謝至謝宜箋珀杯聊以伴緘非以云報祈一笑置之吳雨若兄未通賤名不敢冒未同之愆先生稱其行高學正定非虛語煩致嚮往之私俟異日相見求教耳樊公因尊稿未竣匆遽西來附此率率不盡欲語

答吳兩若書 號晴岩宣城人

曩者得聞先生文行之高於施先生久矣心企之甲寅湯生來辱先以手教示以著作開函睒發不可嚮邇靜定披諷皆衷正道距邪說犯天下之忌嫉而不顧文之奇瑋又足以達之無論近世陷溺講師雖前輩諸君子之救正亦少此明辨也先生又以某之荒言時有近於指趨欲引而寘之同聲之應自顧闇鄙何足以承此然不敢不自幸且奮也路長勢阻奉報無郵湯生昨歸又相失不得附書先生遡不棄復賜不倦之誨循省稽誓益滋惶悚竊謂聖道在兩間雖千年無人任異端所惑亂而未嘗澌滅也今日疑果澌滅矣忽於澌滅中得先生之言又有一某千里不相約而合先生之言此何由乎即所爲澌滅不得也是以君子不必爲道憂而亟爲自憂憂之必辨之辨之必極其至而後已豈過求以爭勝立異以爲高哉不知是不能定是非之歸而實得之於已耳故得彼之所爲非而益信此之是一辨也真得此之所爲是而後能盡彼之非又一辨也讀先生甲寅所示正王諸文於彼說之非既洞抉無餘矣某復何以進無已則商吾之是者可乎夫所非爲王則所是爲朱可知

矣按朱子平生所嚴闢者三焉一金溪一永康一婺州也金溪之爲姚江不必言若永康之功利婺州之權術兼挾文章之奇尤足以痼學士大夫之疾故朱子闢之甚厲果以朱子爲是乎宜於此擇之精語之詳矣今讀後寄衎南諸作於義例似未嚴也且議論往往出入永康婺州間毋亦朱子謂賢如吾伯恭亦尚安於習熟不甚以爲非者乎倘於此有纖毫之疑卽於所是有未的則所非雖甚辨尚須勘驗也自古有道所生之文有因文見道之文如退之永叔因文見道者先儒猶少之以其有所明亦有所蔽不足定是非之歸也故學者多患不能文能文者又患不純乎道又必有韓歐其人生程朱之後實得其道於已一闢斯域焉度其人必韓歐有未之及者而惜未之見也先生幾之矣可仍爲未見程朱之韓歐哉狂迂之言似無端而可怪然譬之舶賈泛大海遇颶濤羣以盤針致戒於舵師非其技嫻於舵師也衆賈之命存焉爾某且托命於先生矣故不揣固陋以求正於左右其或未然藉以發鍼石之施尤某之深幸也家刻朱子遺書一册奉覽無緣面承教誨惟冀以時爲道加重不宣

答吳晴巖書

某頓首敬復晴巖吳先生道兄足下兩辱手書賜以大著恨道遠病廢不能覿面求益然循省惓惓之意可謂厚且至矣前者正王之教似以某有一知半見之仰同足以共論者今兹專示旨述則又似憫其知見之陋而欲以所得廣之者天下芸芸幾人理會斯事其高座說法者勢又不可復受商量如老兄之擔荷大業而垂誨不倦誠世俗之所稀某何幸而得此於老兄也然某之惷頑僻固實有所不可廣亦不敢曲附爲同者不敢不明告而冀垂亮焉某平生無他

識自初讀書即篤信朱子之說至於今老而病且將死矣終不敢有毫髮之疑眞所謂賓賓然守一先生之言者也今教之曰爲講義制舉文字則當從朱而辨理道之是非闡千聖之絶學則姑舍是夫講章制藝世間最腐爛不堪之具也而謂朱子之道僅足爲此則亦可謂賤之至惡之至矣此某之所未敢安也夫朱子章句集註正所以辨理道是非闡千聖絶學原未嘗爲講章制藝而設即祖制經訓從朱子亦謂其道不可易學者當以是爲歸耳豈徒欲其尊令甲取科第巳耶况某鄙野廢人久無場屋之責其有所

評論亦初非爲制舉文字當爾也今指某尊朱以攻王爲制舉家資則其不然又甚矣果僅爲制舉家資云爾則王何必攻王非令甲所禁也且某尊朱則有之攻王則未也凡天下辨理道闡絕學而有一不合於朱子者則不惜辭而闢之耳蓋不獨一王學也王其尤著者耳昔者孔子之道雖大然當戰國時楊墨老莊儀衍輩出天下幾無孔子矣賓賓然守一孔子之言者孟子耳今天下知尊孔子而不敢非此非今天下之明孟子之力也然孟子之言歷千餘年猶少信之者以宋司馬温公之賢猶疑且詆之他可知矣

及南宋諸子出賓賓然守一孟子之言然後孔子之道乃益著今日老兄與某得以尊信孔子之道者繇孟子也而得尊信孟子以及孔子者繇朱子也故某之尊信朱子也又親於孔孟今教之曰奚爲賓賓然守一朱子之言則孔孟先危矣奚有於朱子陽明不云乎道天下之公道學天下之公學非朱子可得私非孔子可得私也求之於心而是也雖言之出於庸人不敢非也而况出孔子乎求之於心而非也雖言出孔子不敢以爲是也而况未及孔子者乎今尊書之旨毋亦猶是而且闢王學爲内篡告子爲内畔佛

老爲外寇不知所云云者爲内篡歟内畔歟外寇歟吾恐老兄之於王學猶未盡其說且有陰墮彼中而不自覺者矣夫陳獻章王守仁皆朱子之罪人孔子之賊也今特宗獻章後人之旨而斥守仁是猶吳魏皆漢賊也尊魏得漢統而獨斥吳宜非吳人之所服矣況又奉魏以攻後漢乎集中如意爲心所存大學從古本格物格本末皆陳湛後人之所已言是老兄固未嘗不賓賓然守一先生之言也但其爲一先生者不同耳繇朱子而程子而孟子而孔子此一先生也繇尊刻所述而湛若水而陳獻章亦一先生也則繇陳獻章王守仁而陸九淵而達磨而告子亦一先生也凡此先生者宜何從則千古必有能辨之者矣蓋某之闢王說也正以其畔朱子而老兄之闢王也不必不畔朱子則某之闢王固不可仰爲同而其賓賓然守朱子之說有一不合即以爲畔道而不敢從則尤非尊教之所欲廣矣老兄高明逈出不難駕越朱子而上度必有同得者與爲証合最下亦須與朱子等者而後能契服焉耳某方俯伏朱子門廡之下又安能知而敢與辨所說之是非哉所敎布左右者第以明已意不敢强爲附和而已悚息之深伏冀

垂譽某再拜

垂譽某再拜

與葉靜遠書

兩接手書皆發蒙鞭駑之言千里勤渠期責深至顧某何人足以當此又復何幸而能得此也三復永佩敬謝敬謝某頽唐不自力兩年以來撲擻塵埃有消無長考夫先生雖在舍間而違離之日多親炙之時少今年又得渝安寅旭佩璁諸君子相聚邑中友朋合并之緣從來希覯然師資在望故我依然即容貌詞氣間固是一麄疎人也則其所爲開徑求益者亦徒以名而已矣不敏不勇不虛受又孰有甚於此臣猶知之而況於君耶今思刻意摒當墨守洛閩之書不欲爲顢頇謬悠之見不敢爲主張調劑之言畀之無高冀有稍進庶幾不負楷模劘切與千里提撕至意乎然臣精銷亡退就　懦不知終能收拾否也朱子遺書四種先完正在刷印恨信行促廹未及待成俟後便寄呈可耳何時快晤以承教言冗次率復不備萬一某再拜

與葉靜遠書

自變動以來貴里尤爲雲擾之地未嘗不念及道翁不知潛止何所接教審已越在近地喜可知也弟自前歲冬卽移居村莊比亦患瘡疥至不能行動吾道日衰正人代謝張考夫沈石長張佩璁於去年相繼厭世敝鄉同志一時略盡麗存者何商隱凌渝安而已兩公皆未有後人商隱近復受小人之侮坐訟未已不知天道何故看此火色殊未是陰消陽長之幾如何如何尊札中施孫二姓從未識其人豈非敝郡講學之徒乎若然則邪妄人耳乃與張何雜稱之甚失其倫不可不辨也中秋後候尊駕之來以罄縷縷敝居在南門外黑板橋問呂家東莊卽得手不能書口授兒子不一一

答葉靜遠書

久不得覯止遠企爲勞接手教甚慰懸念某衰病日深支骨待死較丁已追隨時先生所覩憔悴之容已不可復得矣醫事久已謝絶惟點勘文字則猶不能廢平生所知解惟有此事卽微聞程朱之墜緒亦從此得之故至今嗜好不衰病中賴此摩挲開卷有會時一欣然覺先聖賢一路目前歷歷而正嘉以後諸公講學紛紜病譫夢囈皆因輕看經義不曾用得工夫未免胡亂蹉却路頭耳若謂弟逐蝸蠅生計弟雖不肖不至汙下如此尊教殷殷愛我而賜之鞭策敢

不感激思奮然於斯意尚多未達又未免耿耿也竊謂事理無大小文義無精粗莫不有聖人之道焉但能篤信深思不失聖人本領卽擇之狂夫察之邇言皆能有得如本領差却則以曾子之愼獨孟子之良知未嘗不原本經傳然適爲近世惑亂之鼓笛路頭一蹉雖日日靜坐時時讀書徒以佐其謬妄耳病在小時上學卽爲村師所誤授以鄙悖之講章則以爲章句傳註之說不過如此薰以猥陋之時文則以爲發揮理解與文字法度之妙不過如此凡所爲先儒之精義與古人之實學初未有知亦未嘗下火煆水

磨之功卽曰予旣已知之矣老死不悟所學之非鼠入牛角蠅投紙窗其自視章句傳註文字之道原無意味也已而聞外間有所謂講學者其說頗與向所聞者不類大旨多追尋向上直指本心恍疑此爲聖學之眞傳而向所聞者果支離膠固而無用則盡棄其學而學焉一入其中益厭薄章句傳註文字不足爲而別求新得之解不知正嘉以來諸講學先生亦正爲村師之講章時文所誤不屑更於章句傳註文字研窮辨析乃揣摸一副謬妄淺陋之說以爲得之不覺其自墮於邪異耳故從來俗學與異學無不惡

章句傳註文字者而村師與講學先生其不能精通經義亦一也葢人聞邪異之解則必於章句傳註眞有自信不及處要知此自信不及者乃吾心之粗非古說之失也亦村師講章時文之所蔽非章句傳註之本然也篤信深思精其心以求之則其理自出輕信粗心則必反疑古說於是奮其私智穿鑿破碎思妄駕乎章句傳註之上罪不勝贖矣乃反謂經義必不可以講學豈不悖哉今日理學之惑亂未有不由此者而其原則從輕看經義不信章句傳註焉始此某所以皇皇汲汲至死而不敢舍置也遺書精義已

成尚未較對鋻補儀禮經傳通解正在繕寫發刻但
其事浩大不知能畢工否耳童蒙訓一册呈上凌渝
老今歲仍在敝里涵養加邃其尊翁已服闋矣弄璋
之事並無其具奈何曹舍親俱好在後學規訓容索
取奉寄率復不盡

成尚未較對鑒補儀禮經傳通解正在繕寫發刻但其事浩大不知能畢工否耳童蒙訓一冊呈上麦渝老今歲仍在敝里兩養加遂其尊翁已服闋交弄璋之事並無其具亦何曹合觀但好在從學規訓容索取奉寄率復不恭

答張菊人書

於時文中見所著瑰奇窅緲知非經生家後於孟舉處得所貽詩清挺傲俗又知非時下僞盛唐詩人今來舊京見諸作則洵元和長慶之遺也有作如此其不傾注者情乎顧以踪跡睽異不自唐突乃忽枉詞屈慮先我以書又其中推許過當有非某所可承者則又怪執事之致於己者甚高而假於某者何寬也某荒村腐子生長喪亂患難之中顛踣失學今年四十又五矣鬚齒敗墮志業不加進本末無足觀挑燈顧影輒自悲惋耳又何云哉自來喜讀宋人書爬羅

繕買積有卷帙又得同志吳孟舉互相收拾目前略備因念其爲物難聚而易散又宋人久爲世所厭薄即有好事者亦揀廟燒香已耳再經變故其澌滅盡絕必自宋人書始今幸於吾一聚焉不有以備之流傳之則古人心血實澌滅自我矣因與孟舉叔姪購求選刊以發其端以破天下宋腐之說之謬庶幾因此而求宋人之全蓋宋人之學自有軼漢唐而直接三代者固不係乎詩也又某喜論四書章句因從時文中辨其是非離合友人輒慫恿批點人遂以某爲宗宋詩嗜時文其實皆非本意也近者更欲編次宋

以後文字爲一書此又進乎詩矣室中所藏多所未盡孟浪泛游實爲斯事至金陵見黃俞邰周雪客二見藏書欣然借抄得未曾有者幾二十家行吟坐較遂至忘歸憶出門時柳始作綿今又衰黃矣前孟舉云見足下考索詳核而好奇恨其時外走不得親叩又聞許示茶山紫薇斜川諸集夢中時樂道之今讀手教更知其詳如江西詩派一書某求之十餘年而未得者也承許秋後盡簡所蓄惠教某何幸得此於執事哉謹以所有書目呈記室外此倘有所遇知勿惜搜致之力也某疇昔無境外之交性又戇頑不善

懷刺掃門尤畏近貴人至此間初無所主旋遇徐州來黃俞邰周雪客諸子不以某爲怪而與近則又自忘其麤疎也而狂與諸子言今日之所以無人以士無志也志之不立則岐路多也而岐路莫甚於禪禪何始乎始於晉今中國士夫方以晉人爲佳而傚之恐不及又孰知有痛乎自嵇阮出而禮義蕩然神州之所以陸沉也王安石蘇軾繼之而北宋以陷陸九淵繼之而南宋以亡王守仁李贄繼之而乾坤反覆此歷歷不爽也吾儕身受其禍謂宜談虎色變矣而猶多浸淫游戲於其中其於治亂之原殆有所未審

耳或者豪傑之士不得志於時則借以抒其無聊者有之某竊謂今日不得志求必非天所以成全之也何用無聊而遽遁於異物耶某又嘗謂三代以下學者大都被司馬遷蘇軾二子教壞令人靡所不爲其病中於心術人必不爲二子所惑而後可以言學詩文雖小道其源流亦出於是執事高明老宿其不以某言爲誕詩乎所示時藝得莊子史記之神而文序一首則孫可之筆也只此已足俯視一切矣詩文作家執事固有辭之而不得者然某之所望於左右又有進於是橫術廣廣吾道無人其可不疾痛而屈頭屑此大擔耶足下年長於某其聞識多於某顧不揣剌剌云爾亦以同溺旋渦中不得不號責於有力善泅者耳偶作二首匆次不及謄清以草稿附呈亦以見求正之意也未緣相見徒切依仰言無倫次恃鑒不宣

荅戴楓仲書 名栻山西人

某足跡不越江南交游不及名位荷鋤村畦穿穴故紙頹然乾坤一棄物持此終老而已何意數千里外有道君子有從而物色之者某適滋懼也讀半可集浩演渟滀無從測其涯涘再讀自序始知淵源於東鄉今從二川以入歐曾之室故宜其門戶正大如此近世文字自震川出始能窺子固之藩籬而千子表章震川之力功更不小然竊謂二公之論文亦止論文之法耳後來之説愈精總不離文法最上一關却無道及者不知古人用許工夫成此不尷尬者將安用也眼前紛紛多不出朱子辟闢二途江西頓悟永嘉事功而愚謂更當闢眉山之權術去此三大患必更有實得古人處不知先生於狂言謂何也來教云大丈夫當此時欲以筆墨見長可鄙甚矣此雖撝謙之言然語亦有病世衰道微不患亂之不歸於治患只成漢晉唐宋不能復三代正在此時之君子存此理於筆墨耳孔孟不得志亦須存其言豈以筆墨鄙乎如徒以文法也然後謂之筆墨也可則且有不止於鄙者如所謂頓悟也事功也權術也其言之不精則禍中於生民孟子所謂生心害政立言者可不慎

與然則先生今日以著述自命正當以宇內第一肩大擔子自任耳何言之過輕也承惠祗領傳艸晉詩以誌勿諼玉鈎藉返適在村莊避兵無以爲報徒有慙負拙刻偶評一集呈覽若以筆墨觀此又筆墨之最下矣然或有未盡鄙處亦欲於此下一轉也山河遼濶相見末從臨書神溯

復黃九煙書

三次得書皆以骨董爲緣其事甚可憎然以此得通數年未通之消息又甚喜之也執事清操好古世不易得某比雖杜門無日不思一見得書如得面焉故不惜一引致耳非好古董也其售否厚薄固非所與聞且孟舉不爲收藏大老官用晦非孟舉門下幫閑客九煙非用晦綫索人而此一流輙溷乃公令人悶悶嘗謂某不幸交孟舉自牧疑殺天下人凡有冀望於二友者必以某爲狗監得者引羶失者藂怨謷責不少即如執事尚有用晦能得於孟舉九煙不能得

於用晦之言又何怪市井流俗之云云也敝里之無一人足以語此執事所知也某之所以善二友者亦如韓公之於大顛爲其頗聰明識道理耳豈以其厚於貲能爲某用哉即四方賓客所周旋與否皆其本意某未嘗左右於中也某少時不知學狎游結納無所不至今始恨悔所作不但俠邪淫薄惡之不爲即豪傑功名詞章技藝之志皆刊落殆盡矣故世多見許爲騷人爲俠士爲好客爲多能未嘗非過情之譽然正皆其所恨悔者非所願慕也其所願慕者窺程朱之緒言守學究之家當而已讀來書及佳詠似尚

有知某不盡處故輙自布其狀謹和第三首韻曰云云執事亦一笑而許之乎中秋之約㝉望殊切不謂又有如夫人腹疾之阻不知今遂不復未重九前後得補此約否孟舉叔姪甚思把晤囑筆加訂諸不一一

有知某不盡處故輒自布其狀謹和第三首韻曰云云乾事亦一笑而許之乎中秋之約許莛撞切不謂又有如夫人腹疾之阻不知今遂不復未重九前後得補此約一杏孟擧救娗甚思把臂隨鑑加討論不一

一

答陸氷修書

每寄信相約輒爲辛齋不能來今果然矣十二日鼓峰舟過留一字相致卽往吳門弟因數行與兼山持奉未至郭店卽乾斷舟不能前而返今函尚未拆也幷以送覽不意忽有此行廹促不能一晤比之常日倍覺黯然彥遠以珠彈雀之語良是良是弟則以爲莫道不是珠且恐不得雀得亦不足飽耳況此非雀也蟯螂鴟鴉豈可彈耶纔說尋覓去耦耕定知不是耦耕人辛齋豈忘鄙詩乎乃欲得三四百千以老嗟乎辛齋此世界中豈有三四百棄置路旁待芒鞵布

襪人拾取耶癡矣癡矣他人蒙皮戴角攫入箱袋中物安肯拱揖而貢之不同道之人若謂吾别有取之之術此豈復成辛齋乎憶前年太夫人生日壽序某謂太冲書此意以厲辛齋幕賓游客之語旋有身詈之而身爲之者辛齋尚不知所警耶況太夫人齒高正啜菽飲水盡歡之時豈遠游日乎無肉喫菜無菜喫淡只有此法耦畊便耦耕更有何商量計較莫鑄壞幾州鐵也天之與我甚榮甚貴正復有在是珠不是珠正在此間辨取耳彈雀之後豈復有珠哉非辛齋某何敢發此狂言誠猶望其行之未成也研斲已

久欲待而商落筆故銘尚未刻銘曰石無奇色而何以刻余曰不然辛齋之物耻齋新之神斤妙質茹光吐華終古不蝕苟非其人雖有奇石劫燼塵灰無異瓦礫敬哉吾友永寶爾璧研作壺式又有銘則刺觸不堪書也姑記以俟而時勤之知已稀少又復違離凄愴如何

呂晚村先生文集卷一終

書

與高旦中書

别後何時抵鄞塗次無所苦不弟爲凶歲所窘殊無善狀思與吾兄尊酒論文之樂曾未閲時又如疇昔矣須悟虞山先生囑道懷念并訂兄雋明春早出於詩史諸事大有所商謂非兄與冲老昆季共爲料理未易辦此也至文字之交弟於三吳已無遺憾獨越郡明州未獲同岑丁酉孟春曾合南湖敦盤於蓬藁中其時浙東箋啟俱托朱朗兄分致不謂竟至浮沉縞紵闕焉至今耿耿茲欲少爲整頓不揣固陋將勒成一書以公海内而以兩郡君宗未經商商難期畫一非得大君子爲之主持無緣聯合且久知吾兄厭棄此事未必樂聞思貴郡董吳仲兄往曾於筆札論心雖未識韓而神交已久此弟所最傾注者也慈湖泰子臨兄與弟訂盟湖頭爲性命之友暇時望與兩兄爲弟細酌全局儻有成算弟即東渡錢唐登堂拜母并與諸同人商定兩郡人文爲東南一大觀且得快聚桐齋與賢兄弟叔姪聯床晤語亦人生一段佳話想不以塵俗鄙夷我也貞一兄歸率此附候不一

與高旦中書

半載不面書問隔絶此數年以來未有之闊踈每一念及未嘗不黯然也附公擇二月書停滯省下越兩月乃得讀然近狀則公擇先謂之矣聞醫行鄰邑當事得直足資薪米甚慰甚慰然此中最能溺埋壞却人才不少急宜振拔灑脱爲善念頭澹薄自然删落若不甘寂寞雖外事清高正是以退爲進趨利如騖此中逕畛甚背懸不可不察也以老兄今日室無堅坐之具身有攬取之才而胸無足畏之友從此塌脚不難入無底之淵故不禁其言之屑屑耳某百凡如故家口亦粗安但於己分內無分毫長進醫未嘗不行而醫理亦無新得此地待老兄者甚衆不得已來屬弟者皆不足以慰其欲每至技窮未有不思使鼓峰在當别有解治也一月前瘖考夫自覺有益恃以不孤某思從前過愆最大是自作自掩今日自覺得處痛自改治正不知能接續推擴得去否耳近小葺蘭森堂初意不過砌磚止溼換窗蔽風雨而已事機一動勢不自止又須改東西兩廊又須於南牆架數間作書舍未免多事浪費然業已至此只得成之凡心之把捉不定事之預料不來放易收難大約類此

孟舉自牧俱如常令兄闇歸稍足濟否聞萸山欲出游此間自去冬來頗以交游爲戒恐致垂橐大非筴也弟今秋爲次兒娶婦冬營窆季臣先兄父子過此便欲省事閉籬煮水吃菜以卒舊業冀得些小工夫耳秋凉得一出面爲妙欲言固不只此

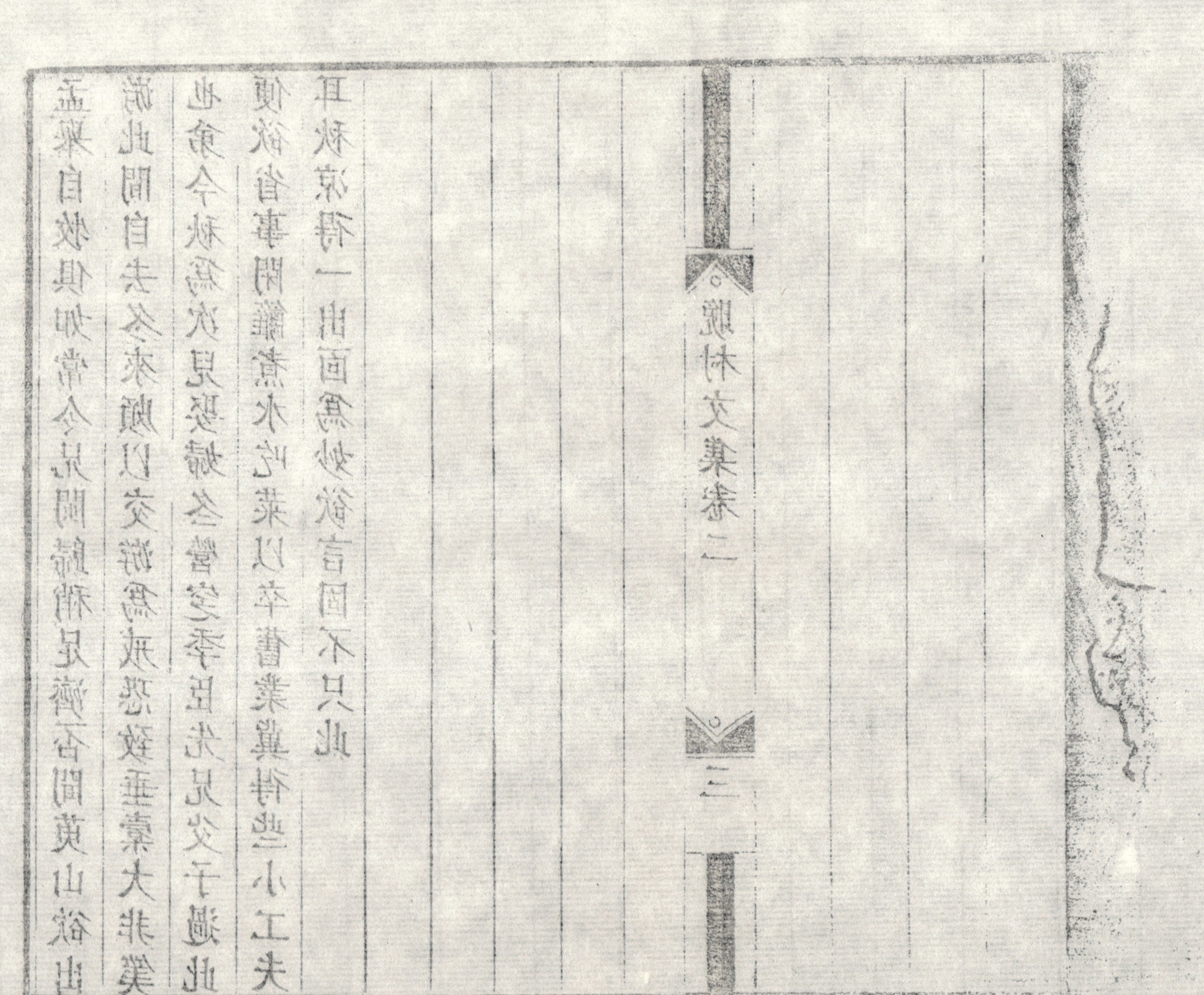

孟舉自彼但知常今兄問歸稍足濟否問黃山欲出
游此間自去冬來頗以交游為戒恐致垂橐大非美
也弟今秋為次兒娶婦公營安季臣先兄父子過此
便欲省事閉籬煮水吃菜以卒舊業真得些小工夫
耳秋涼得一出面為妙欲言固不只此

寄黃太冲書

春中奉教聞寂至今往還未嘗無人有書不得展讀宿愆猶積媿負何言伏惟近履有相大小清泰聞提唱明州宗風雷起不審有幾許入室足荷擔大法者否前書秋渡之約想以此不果也某於六月四日復舉一子蘭森南牆搆得數椽消却半年光陰餘無足道潛溪遜志遵巖荆川等集不知曾爲撥忙看定否亮牕粉壁間甚思披受誨益也公擇歸欲遣力走請適且中來致台諭他書有未盡錄故謹於來春候教耳近得程北山集六本爲宋紙印者又抄得誠齋集

一本則舊本所未見又呂涇野集二十本蔡蛟濱語錄四本及餘明人集數種俱待晤時呈覽也趙浚谷霍渭崖二集幷望借看外書目一紙奉記以備簡發時遺忘公擇行廹不及一一敝衣一件松蘿一觔聊爲寒夜著書之供何時瞻奉臨字惘然

與黃太冲書

貞一歟夏時曾附數行相候且中來得近况而無字貞一到館未得晤然聞其有字與公擇亦不言太冲有札語也餘自越中來者輙言太冲有與呂用晦書淋漓切直不媿良友而某竟未之見何也若不足與語則不必作書旣作書矣是欲其得規而改過也而又不使之見是借題作一篇好文字耳定非吾直友之用心也故某頗疑其說之妄後問且中則曰誠有之不過責善意耳某於是浩歎謂太冲其果不知某者也茫茫宇宙何處無流輩顧數年以來竭情盡愼

只此數人若將終身焉者豈果相藉爲標榜哉誠望切磨之益使得聞其過則日遷於高明之域無難也太冲有責善之言正某之所欲聞奈何書成而不一示之耶嗟乎太冲天下舍讀書負氣之人望誰能言使太冲言之而當於太冲爲知言卽言而未當於太冲豈有過哉但於言之外別有委曲依隱之私是則太冲未嘗無言而所以言者先失其道矣然於某正不當作如是觀也或者又云此太冲絕交之惡聲耳非眞責善也子必欲見之是又起爭端矣此則大不然縱使太冲立言有私意在是太冲自己病痛太冲

所言自是某之病痛兩者豈相除筭哉即如或言不可知者心耳其言豈有不是者此某之所以引領拳拳也千萬錄示以卒餘教外明人選本及宋元明文集易象廿本詹氏小辨一本攻媿集三本又韓信同集金華先民傳俱望簡發未涯瞻奉臨書惘然

復姜汝高書

其麤疎人也平生以朋友為性命然以不慎齒舌又家貧禮數濶略計所以得罪於賢豪間者不一以故不復葢覆其短市壓汚行擿發殆盡良友身質諒自非誣其為羣情共棄宜矣比者旦中來乃復荷手教之及不謂其猶未見擯絶於老兄也愧悚愧悚今來唯有閉門掃跡守章句集註以教兒子願為一村腐庶幾補過末路而已醫事功力不深止是庸醫行徑於古人畧無發明處間有所得亦不能出旦中範圍又豈足為老兄道乎承惠書二種一佩前輩格言一

熟醫經塗轍老兄之教我至矣珍感珍感顧有所請者尊公先生與老兄主張斯道嘉惠來者去歲委刻念臺先生遺書其裁訂則太冲任之而磨對則太冲之門人此事之功臣也若剞者因家中有宋詩之刻與刻工稍習太冲令計工之良窳值之多寡已耳初未嘗讀其書今每卷之末必列賤名於心竊有所未安嘗讀朱子與張南軒往復論刻書事一字一句必考存原本其精愼如此此所謂較讐之功也今此書未曾一見原稿直太冲傳本耳未知其於原稿無一字一句之誤否昔二程遺書傳自上蔡龜山朱子語

錄出於勉齋潛菴皆眞得斯道之傳其立身皭然無一可議天下於此信其所傳之不妄也且中述太冲語云近日劉氏於廢簏中又得學言若干比今刻不止十倍某雖不知今得之何如然則所刻之爲人刪定而非其全體可知矣其又何所依據而較之乎若較爲磨對之名則萬公擇獨任者偶一及之而某未甞磨對者反每卷數見尤所不安也因其時太冲愛弟過厚不覺其失耳至小兒公忠則幷無計工之勞豈以其受業太冲門下故亦濫及耶則劉門弟子尚多未及其爲弟子之弟子殆有不勝書者即如尊公

門下庸詎無人而濫及穉子豈此本爲太冲之私書乎果其爲太冲之書則某後學之稱於心又有所未安也望老兄一一爲某刊去某非敢立異事有要好太過反致失體者不得不正之耳老兄以爲何如敝廬訟事因其放廢恣其淩侮至今未了也自顧所處辱身其宜承遠念殷摯感謝感謝久欲奉報道遠未得便信今附某人率此數字

復裁之兄書

襄指來得五月廿八字知小毒爲苦今已平善耶此是厥陰陽明溼熱若尚未愈須用後方治之所示婦去詞言短味長刺深旨厚真風人之遺蕩子空牀塵鏡在匣三復之餘不禁綆縻之垂垂也吾兄覩弟豈游戲波瀾人物哉數年以來屏棄一槪披胸納腹其跡甚隘雖敬愛如吾兄然比之猶覺有間它可知矣意向冷灰凍壁中尋取一箇半箇肯屏頭挑擔漢子同鑽故紙蝕殘字求聖賢向上事自了此生分內而已乃弟之所取者在此而人之所求者又在彼凡所爲說道理論文字只如游方當上入門口訣耳一朝窺盡盧烹圖窮匕見本相一露不能復掩三吳間人無不笑弟之至愚而歎此道之無人也追思向時握手捉袂揚眉瞬目凌厲古人呵罵一世指冰霜嶽瀆以爲期其齷齪耶醉夢耶病狐惑老魅耶惝然自失涕泗橫出真不能自信自解也昔有好色者於逆旅遇靚粧女子挑之就焉明晝戶尚扃鄰舍訝發之存一髑一髮有巨獸獰目腥脣突出葢不知何怪也今弟所存猶不止髑髮則爲幸甚矣此種狡獪伎倆諒不足當明眼者之一笑乃聞所至傾動唱宗說法尚

欲以此塗一世之耳目以行其攫竊之術韓公詩願君莫嘲笑此物方施行又可一慨也春間無事時戲作得問燕燕荅二詩别紙錄去聊發遠噱弟已不願向世間疏明本末因吾兄知信之深憂荷遠念故縱言及之耳不足為他人道也近於襄指扎頭見一行云欲作聱者說相寄别諭雖不詳可以意會得兄筆一點染使妍媸無遁形便足當辨姦絶交論一則矣望甚望甚賀襄指可字韻詩亦和得一首并呈教有便過語溪作數日詩話尤曠劫之願也

與魏方公書

惠示南雷文案兩中無事卒閱之其議論乖角心術鍥薄觸目皆是不止如尊意所指摘僅旦中一首也旦中誌銘固極無理而莫甚於與李杲堂陳介眉一書其意妄擬歐陽論尹師魯墓誌之作詞氣甚倨儼然以古作者自居教二生以古文之法及爲誌銘之義夫不論法與義則愚不得而知若猶是法也義也則某竊有詞矣凡銘之義稱美而不稱惡原與史法不同稱人之惡則傷仁稱惡而以深文巧詆之尤不仁之甚然猶曰不没其實云爾未聞無其實而曲加之可以不必然而故周內之而猶曰古誌銘之法當然也所引昌黎銘法爲証尤可笑李虛中衛之玄李于之方術燒丹其平生他無足傳而實以好異死法固不得而易也王適之謾婦翁所以狀侯高之騃與適之負奇耳如史記稱高祖賀錢萬實不持一錢豈爲謗高祖哉至柳子厚之誌銘則更不然子厚之黨叔文輩也事關國史其是非旣不可移而爲子厚誌則此其一生之大事又非細故瑣語之可隱而不必存者也然至今讀其文淋漓悲痛但致歎於無推挽與排擠下石之人蓋已深爲之湔祓矣今謂旦中工

揣測人情於容動色理之間巧發奇中不必純以其術試取此數語思之其人品心術爲君子乎爲小人乎謂旦中之醫爲下品某不敢知謂旦中之人品心術爲小人此某之所決不敢信也若太冲本意止歎惜旦中馳騁于醫而不及從事太冲之道則亦但稱其因醫行而廢學亦足以遣詞立說矣何必深文巧詆之如此是昌黎一誌而出子厚爲君子太冲一誌而入旦中於小人其居心厚薄何如也乃欲以㓹㓹之牙擬觸邪之角哉且昌黎立身皭然未嘗與子厚同黨故可以歎惜不諱若旦中之醫則固太冲兄弟

欲藉其資力以存活故從臾旦中提囊出行其本末某所親見具悉今太冲書中亦明云弟與誨木標榜而起矣旦中果有過乎則太冲者旦中之叔文也使叔文而歎惜子厚天下有不疾之者歟又謂寧波諸醫肩背相望旦中弟多一番議論緣飾耳太冲嘗遣其子名百家字正誼者（後托貴人爲二子百家百學援閩側貴人偶誤記納百家正誼爲二今改百學名百家以應之非昔之百家矣）納拜旦中之門學醫矣夫以旦中之術庸如此其緣飾之狡獪又如此旦中於太冲其歸依相知之厚也又如此不知太冲當時何以不一救止之而反標榜之又使其子師事之及其

死也乃從而掎摘之驅使于生時而貶駁之身後則前之標榜既失之僞今之誌銘又失之苛恐太冲亦難自免此兩重公案也卽身名就剝句引歐陽銘張堯夫例亦屬不倫歐陽所謂昧滅數年位之不竟其施也太冲所云譏其不學太冲之道而抹摋之也旦中生平正志好義才足有爲其大節磊落足傳者頗多固不得以醫稱之又豈遂爲醫之所掩哉世有竊陳王之餘涎掇雜流之枝語簧鼓聾瞶建孔招顔藉講院爲竿牘之階飾丹黃爲翰苑之徑一時爲之鬨然然而山鬼之技終窮妖狐之霧必散此乃所謂身名就剝者耳旦中身無違道之行口無非聖之言其生也人親之其沒也人惜之然則旦中之日雖短而身名固未嘗剝也太冲雖欲以私意剝之亦烏可得耶夫德不如曾史功不如禹稷言不如遷固卽曰身名就剝然則太冲之必不如曾史禹稷遷固已萬萬可信也日空長而名豫剝方自悲之不暇而遑及悲旦中乎所云是是非非一以古人爲法言有裁量毁譽不淆古文之道豈復有出於此然拔太冲之矛以刺其盾其誌銘中如降賊後遁者授職僞府賊敗懸死者勸進賊庭歸而伏誅者槩稱其忠節而憤其曲

殺以國論之大名教之重逆迹之昭然不難以其私
鞫也而曲出焉一故人陰私之未必然者則必鉤抉
而曲入焉是非毀譽淆乎否乎言之裁量謬乎否乎
當道朱門枉辟貢諛紈袴銅臭極口推尊餘至么麽
嵬瑣莫不爲之滅瘢刮垢粉飾標題獨取此貧交死
友奮然伸其無稽之直筆而且教於人曰此爲古文
之法誌銘之義當然也世間不少明眼有不爲之胡
盧掩鼻歎太冲有云昔之學者學道者也今之學者
學罵者也觀南雷文案一部非學罵之巨子乎罵人
之罵而自好罵人此楚圍之轉受僇於慶封也夫罵

焉而當則曰懲曰戒罵苟不當則曰悖曰亂今以悖
亂之罵而橫加諸人曰此古法也豈惟古文之道亡
將生心害事其爲世道人心之禍又豈小小者乎且
中臨絶有句云明月岡頭人不見青松樹下影相親
此幽淒哀怨之音也太冲改不見爲共見且訓之曰
形寄松下神留明月神不可見卽墮鬼趣夫使且中
之神共見於明月岡頭眞活鬼出跳矣且中之句以
鬼還鬼道之正也如太冲言卽佛氏大地平沈有物
不滅之說耳青天白晝牽率而歸陰界太冲之云毋
乃正墮鬼趣乎卽不見共見以詩家句眼字法而論

孰佳孰否老於詩者皆能辨之此文義之失又其小者矣飄風自南青蠅滿棘本不足與深辨但念旦中疇昔周旋今日深知而敢辨者僅某一人而已若復閔默畏罪是媢生貴而滅亡友也故欲直旦中之誣則不得不破太冲之罔耳又念信旦中之審者莫如賢叔姪兄弟故敢嘮叨及之至太冲所以致憾旦中而必欲巧詆之死後其說甚長亦不欲盡發也昨吳孟舉兄亦深爲歎息寄示此書後有續集吾悔集四卷則此本猶有未全者謹納上幸覩至不宣

與魏方公書

弟去歲浪遊白下臘盡歸里即有移居村莊之役春來稍加整葺而風雨連綿至今未有成緒諸僮皆有搬運作務是以未獲遣候不審比來福履何似尊堂暨令宅新祉勝常懸企懸企令叔燕中得意會南還未燕公兄近况定佳新居定於何所聞有卜遷山陰之意果否渴思候晤一罄濶悰又適有不入城市之戒南望停雲徒切懷想耳吾兄遭赫烈之虞滌蕩過當親知無不惋歎然所謂厄困震悸勞苦變動而後能光明顏曾之養爲樂甚大此柳子厚所以賀王參元也願益加刻厲以復前業折節好脩德望隆起非祝融之顯相耶望之望之夏初稍安雖不入城當權舟湖上圖面以悉兹因仔肩親翁至杭之便荒函附候率率不盡欲語

與萬祖繩書

不奉教者數年於茲思挹清光渺焉天際弟頽惰自廢白首無成猶欲以炳燭晩救而今已病亟矣咯血嗽痰聲瘠臥熱種種惡候夜鬼相參思老兄曠懷醇性神王趣眞猶能以蠅頭細書集錄古今遺文以自娛樂遠貽同好眞不啻蒲柳之視喬松耳旦中兄一生行脚多爲友朋今其諸子孤寒投止無依誠知交之恥恨弟久謝世事無可爲謀聞其近狀且更有坑塹之憂不第生計之寥落而已弟謂此事須急圖明白決絕日愈久則患益深不可徒爲枝梧避地之策

自釀奇禍也其三兄君奭同來云將轉爲鳩會以了此案庶幾此說爲長弟不敢辭乏卽措一會之貲付之矣他非弟力之所能及也兄札又云數載前有一語之違弟愕然不記爲何事兄卽有語弟未嘗聞未嘗憾也至謂兄不登他友之堂可以釋憾斯語尤可怪弟年來此心不白於相知多類此故交隙未人生一倫之缺陷兩有罪過不止一邊事也弟於他友實無致憾之意而横被浮言鬭搆無從辨解耳未嘗憾他友豈遷憾與友交好之人哉至老兄與彼往還自有本末自有取義柳子厚所云何與我耶老兄亦惑

於浮言誤疑弟爾實各無憾又何釋之有忠介公抄集領至劉改之劉原父二集甚欲得之鄧栟櫚詩舍閒已有天一閣中聞有袁清容桷戴剡源表元表集爲刻本所無者幷望爲弟全抄見寄其謄寫資值見酌命之或以拙刻相抵或竟奉金無不可者程墨偶評金黃稿各一册附正希覼至病中不能手疏口授兒子繕白不盡

答萬祖繩書

弟病日加劇根由鬱怫親知勸以游戲解之仲春過湖上欲看西溪河渚梅花而雨雪爲虐竟阻勝事悶坐魏舍親齋中忽接尊札惠以手錄公是改之二集不禁眼爲明而膈爲爽忘沉痼之在體與陰霾之在庭也近歲貴郡諸公以弟爲異己之罪人鳴鏑所注萬矢恐後獨老兄惓惓猶以故人相待嗜其膚論貽以未見之書厚意有加自揣無足致此於老兄者但有感且愧耳且中歿後門戸荒寒弟以力微累重不能稍爲援佐徒負故知曾未有忠之盡而歡之竭也

念且中當日所周旋分甘給火手援翼覆之人今多反唇詬詈聲達九泉惟老兄殷殷軫卹痛癢關切友道之砥柱於茲僅見耳袁清容集弟所有者較來目僅十之一二相去甚遠得錄惠爲佳但卷帙浩繁重累靜課爲不安也戴集舊刻止四本昨見天一閣書目有十本豈字大本薄故耶乞老兄爲我一查對果與刻本無異否若其中有一二不同者亦望鈔賜外唐荊川歸震川錢吉士陳大樽稿各一册附上江西五家稿已盡發金陵俟今印寄奉也率率不盡

復高君鴻書

舍姪人從武陵還得手教審因便至省足徵近況之閑適甚慰甚慰至所諭館事以不能如約而責失信於方公此似過也世路艱難讀書人毫無滋味延師一事日少一日即有一二皆爲高才捷足所取甚難爲計方公向時許尋固屬摯誼及求之不獲無以應命亦力詘於無可如何非有心於欺紿也天下之物凡有之已者可以持贈如意若事在求人肯爲留心用力已足感其意之厚矣成敗得失豈可幷責之其人耶以此待人人孰肯樂爲之用必至不敢輕許一

語而後已此不特方公知戒即弟亦聞而却畏矣至云束手待斃此亦不可以責人也學也祿在其中果欲處館但當益精其本領本領既精則人將求我每見貴郡能文諸兄在敝里已獲豐厚館穀次亦未至寒餓也苟無其本縱徼倖到手終亦必亡曾何補於待斃哉即行醫之道亦然如尊公當日之行於三吳亦其本領自取非關人之薦揚而行也若謂賴人薦揚則戊戌己亥之間懸壺湖上者兩年其時同游之友不惜極口何以寂然不行及庚子至敝邑弟亦未嘗爲尊公標榜也偶遇死症數人投藥立起於是一

時翕然歸之然則戊巳兩年之不行以薦揚之虛語也庚子以後之盛行以本領之實效也乃其時同游之友觖望於尊公者以爲尊公之行由於弟之力而得弟之力又實由於彼之力以此怨報德之薄衆口一聲至今不息眞欺天罔人之語弟且無功彼更何與此弟每歎惋不平於斯者也今同遊之友亦頗欲行醫其子若姪亦皆以醫求食何不一出其薦友之力以自厚其身與子姪乎豈爲其身與子姪者反不若爲友之切乎由是言之親友之用力固其情誼當然若成敗得失則又由其人之本領與時命焉不可

强也弟自邇年謝息交遊不復與人世相接亦無可爲轉覓之地至戚至友貧困者更多皆苦無以應之有如尊門推令先君孝友之意且學富而德粹者莫如令叔然且不能爲之謀下此則令弟君胥窘狀更甚於兄前者令兄君求札來亦欲覓地然則即使有館必須得三四處而後足以及吾兄也固知其斷斷不能矣承諭明正見顧親戚好我惠然肯來粗茶腐酒足奉談笑固所願也若以薦館行醫之事見屬則萬不能奉命徒費往返益增諐尤寧使兄聞此而見惡於前無致含糊而得罪於後唐突附復惟足下諒

之而已某頓首

次丙己某頓首

答徐瑞生書

曩從鼓峰得聞高懷篤行折節好古靈蘭之道超越遠近鼓峰不輕許可獨於道翁首屈一指心竊嚮往焉庚戌冬會稽烏石忽得一見而尊駕時有天台之遊阻此良晤至今悵然某迂狂無似每以粗疎得罪交游間貴鄉名碩類能掎發其陰私亦可約略其爲人矣賢如鼓峰經諸公譏彈尚不足比數况某之不肖者乎令郎兄來手教惓惓猶不忘鼓峰之言欲置之議論之列先生得毋悞耶恐比匪之傷且累及令郎兄此某之所惕息而趑趄不進者也數月以來卧

病苫山昨昏抵舍令郎兄以新作見示展讀之際光芒四射恨令郎兄東旋遽廹某又初歸坌冗未獲涉筆然已驚歷四座矣新秋出晤當更一傾倒耳匆次草草未盡萬一

答徐遯思書

久耳盛名愧未有夙昔之雅反辱枉書屈慮循省恧歎無以爲辭先生自叙平生三謬乃三奇也在今人固不復知矣當時碩宿之爲文論古結友者無不以是得名如先生之馳譽東海固名下無虛也若某之爲謬守章句之緒餘犯禪學之詬厲則自當時至今日無不非笑而斥惡之者斯眞天下之大謬耳令嗣妙才淵源家學固當一瞬千里某自顧迂疏於歐陽所謂順時取榮之道相去甚遠先生爲子擇當行舉子之師而下問及某是猶調天馬而引之淖中求神行而陷其足亦太左計矣適患咯血復治痔瘻支離伏榻辭不能多力疾附候不盡

與范道願書

歲暮得手札知罹尊公先生之變伏想孝思崩摧何以堪此弟去歲爲家兄及舍親家事歷碌經年總計在家之日不滿兩月耳意緒惡劣鬢白者三之一齒落則過半矣仲冬會且中之葬留甬上旬日而風雪載途無從寄問近除歸里爲凶歲所困田租竟不可問一家四百指須食米百數十石仰頭打手直無以爲計目下價日騰湧憂懸不可言詩集序斷不敢爽約然此時愁如亂絲意思收拾不上實未能落筆待春中心稍空閒庶足以傾寫欲言不至佛頭着屎耳

所示近詩鎚鍊老成壁壘一變望而震畏足見漫遊中不廢工夫勇於爲學如此何事不登峰造極既歎羨又自愧悔也塗咏數過會攜以示芥舟共相欣賞欲細爲點勘少出一得之見以就正於高深然亦非此時所能俟一幷却寄可也宋詩鈔孟舉將印行已刻者爲初集當特送一冊弟不知從何處附寄此書易爲人沉没必須的當幸先酌示之擬月盡月初入省奉弔晤語今聞望後渡江歸期又在冬底言之黯然無以將意先具束芻之儀附上幸爲告之几筵遲日登堂再拜耳信促率泐不備

與錢孝直書

前日曾以不誠二字答孝直想孝直未必遂承認斯語所謂不誠不必懷挾僞妄也凡言不經體驗行不可告人而多方曲折以回護之皆謂之不誠其根大約在好高騖遠事事求出人頭地此聰明有才者病每坐此究竟不能出人頭地者多矣無他只不從實地用功也從實地用功只前字所云細心讀書隨事省察亦是大段語若果從實地用功底人只此八字便不肯渾淪放過如一讀書今日通某經明日通某史後日通某文集如將吐納百家反而問之四書本經尚多窒礙處此是不誠也至於隨事省察四字望之甚易行之實難只現今一日間許多合做底事都不去理會教一一停當却去東塗存心西抹主敬是不誠也忽而聖賢忽而英雄忽而才人胷無所主逐件便作登峰造極想究不知歸宿何處是不誠也眼前有一光明正大之道不去行走而向岐塗胡亂揣測此爲墨翟之所哭也今世衰道微人心不正天生聰明有才人皆有此責只看人之肯任與不任耳所謂細心讀書隨事省察以求進此道吾非孝直之望而誰望耶今孝直能痛自鍼砭不向外求一言一動

内度之心外禀之爻兄表裏如一不求浮名不取速效醇謹端恪事事誠實便是出人頭地處矣至若權術作用此學道之鴆毒人禽之關正在乎此此不可不知者也因與尊大人先生言及前字故更書此以申鄙意尚有未盡嗣奉詳之

內度之心外稟之父兄表裏如一不求浮名不取速效醇謹端恪事事誠實便是出人頭地處矣至若權衡作用此學道之鴆毒人禽之關正在乎此此不可不知者也因與尊大人先生言及前字故更書此以中漸意尚有未盡嗣奉詳之

與吳容大書

敬賀吾兄掇巍第步清華開吾邑二三百年未有之盛事鄉里之榮何以逾此而弟之所企幸則更異於是夙昔晤對每見殷殷於學術之正人品之眞固知蘊負有素昨歲接手教示及貴師質疑之著審又出有道君子之門相與研究精微辨析同異其足以崇正闢邪爲聖學之金湯無難焉此則弟之所手額相慶者也王學之惑亂幾二百年其間大人先生亦頗知其謬然大約指摘其弊病者輕而許與其具體者重甚則與朱子兩分其是非知其於邪正之界蓋猶

有所未確矣讀質疑所論剖决精詳絶無包羅夾帶自羅整菴陳清瀾徐養齋以來未有如是之親切著明者此誠斯道之幸生氏之幸非小小文字之功也顧弟更有所進者近世王學惑亂雖未能廓如然猶多疑而辨之至於陳獻章一宗幻妄充塞如謂意爲心所存愼獨有獨體一貫爲入門工夫而非究竟其背畔程朱爲尤甚然不幸其淵源誤出於前輩正人之口遂足以鼓動流俗不審張先生亦嘗聞其說而辭闢之乎此宇宙生心害政之大患有心者不可不力持而救正之也弟未敢於張先生作未同之言幸

兄爲弟致景仰禱祝之意山菴率泐無任馳溯

兄為弟致其所嚮慕之意山巷率爾無任馳溯

答潘美巖書

某病苦侵尋精銷形瘦投骨山菴以待氣盡初非效冥鴻之飛亦未敢墮野狐之窟然老不自力志業摧頽以視先生沉酣法苑游戲詞場拈祖綱於坊肆之間調倡情於鼓笛之下顛倒人間不可方物眞不啻稷嗣聖人之笑腐傖矣某年來乞食無策賣文金陵亦止僦寓布家自鬻所刻並非立坊亦未嘗販行他書所謂天蓋樓者乃舊圜屋名不可以移餉者也若金陵書坊則例有二種其一爲門市書坊零星散賣近處者在書鋪廊下其一爲兌客書坊與各省書客交易者則在承恩寺大約外地書到金陵必以承恩爲主取各省書客之便也凡書到承恩自有坊人周旋可托其價值亦無定例苐視其書之行否爲高下耳某書舊亦在承恩寺棗姓坊中發兌後稍流通遷置今寓乃不用坊人其地離承恩尚有二三里殊不便兌客也辱賜教大刻且命附以朽言某自顧不能文故凡所刻文字從來無序此外同志有作亦未嘗有跋引之詞可爲左証非敢倨違平生迂僻於冶情綺語風流跌宕之音性所不洽至西來大旨剌眼心痛與新會姚江之說同疾之若傷我者雖圓頂衣伽

而不宗不律不義講不應法自作村野酒肉和尚而已今先生所賜書若不作西廂觀則已入禪會若不作法語觀則必落艷辭若謂兩者皆不涉即是講學則不離公甫伯安凡此皆某之所不知且不欲者故不敢發函隨來手附納爰居之耳聞鐘鼓而駭想先生爲之拊掌大笑也他有評論古今之大著尚冀不悋垂誨企仰何如臨書無任馳溯

與某書

省足下前後二書情詞懇切議論奇創皆以聖人不可知者相商此非庸夫之所知也雖下針發藥極中其病而弟之愚闇終不知其所當然敬謝教意且固守未達不敢嘗之義耳若謂知之而不改是何心哉弟之所知不出也古人相勗至無可奈何則各尊所聞各行所知是或一道也至云此爲良知不致之故則大不然弟之痛恨陽明正爲其自以爲良知已致不復求義理之歸非其所當是是其所當非顛倒戾妄悍然信心自足陷人於禽獸非類而不知其可悲乃所謂不致知之害而弟所欲痛哭流涕爲天下後世爭之者也朱子有言豈肯以其千金易人敝帚哉足下既自以爲不謬則勉之而已正不必欲其必同也

復王山史書

某荒村腐子也平生無所師承惟㓜讀經書即篤信朱子細註因朱子之註而信程張諸儒因朱子程張而信孔孟故其所見皆迂拘而不可通於世所謂理學講道則槩乎未有聞也其在文字亦止知八股制義於所謂古文詩詞亦槩乎未有聞也而質性又僻戾不可近亦不樂與人遊故友朋絕少如寧人兄南中之士其志節學問文章馳譽遠近心甚企羨而從未得見其他可知已今衰病侵尋旦暮且死惟願以褐寬博裹身入黃土他無所求於世間也側聞先生

以鴻才實學振興關西續先聖之遺緒寶鑑在懸鬼燈失焰固惟先生與寧人兄諸君子是望耳法書聖謨教我良深家刻數種呈正非報伏枕不能握筆口授兒子繕復便郵行廹不盡所云

答趙湛卿書

奉復湛翁先生足下猶憶酉戌之間讀執事小試之文破空出奇如海鴻天馬不可蹤跡企仰有年而雲泥睽左未緣瞻拜反蒙翰教示以鴻文捧緘占氣光耀衡宇不自知何幸得此也某荒村腐豎初無所知交游借譽多過其實環顧平生不直識者之一笑年來衰病頹廢鬚白齒脫屏跡蓬篠閒久矣絶意人區偶爲亡友補葺殘藁而親知從臾兒輩並出其邨塾塗抹本頭刊刻問世殊昧本懷蓋選手二字某所深恥而痛恨者不幸其行跡如之嘗謂近世人品文章皆爲選手所壞如尊教所云侏儒婦人木雕泥塑極盡妄作惑世之弊然猶就文字言也若其苟且卑污靡所不爲一副齷齪肺腸不堪照看目未識貴人輙呼其字甫若舊知深好名未通一刺已譜叙交契攀撦線索謂某某手授郵寄士林廉恥之道至此掃地盡矣當時每科各房自刻京稿曰十八房二十房行及外間選家合選之曰房書亦自近年來吳越選工爭牙儈之利營狐犬要媚之私於是有幾十名家及選評專稿之事皆小人之尤也稿之刻在京則當屬房師在外則屬鄉同黨筆硯之友外此便非分內所

當爲非詔即罔耳故前歲徐方虎兄致書招某至燕選房書并定某新稿某托友人固辭得免凡諸名稿曾無一拙評拙序可驗也方虎與某疇昔風雨日久不同泛泛疑若可爲然硜硜小人之性自斷以爲不可方虎亦諒其迂拘不相强也今尊稿見委實愜嚮往之志奈於此義有不能自爲矛盾者非敢故爲偃蹇也但望大刻告成後賜教一册開示聾瞶爲家塾指南偶評有續刻自當借光少効揚讚之力雖不能有加於萬丈之燄亦自謂得豹變之一斑耳極欲留讀恐誤付梓割情附璧不勝馳戀

答許力臣書

某東海腐儈未嘗學問亦未嘗自通於四方有道徒以塵壒浮譽驚大方之耳曩荷枉詞教以著作爲足與論文析義者然雖深感斯意而期許過分非所敢當也村居杜門無京華往來之便未嘗以荒言奉報懷抱耿耿輒渝歲時兹更辱不倦之誨循省怠誓惶愓無地執事江淮碩宿久爲四方所宗其文洸瀁排奡適自成家無趨時之習幷無以古建招之意其足以信今而傳遠無疑也乙卯坊刻膾炙海內與酒後呼天而奮決者若合符券亦既自信而信諸人矣今

以已售已行之後復生疑慽又何自信之不堅也某僻劣無似於選家二字素所愧恥偶因補葺亡友遺選幷刻及塾課本子行迹乖誤刺違本懷故於癸丑後立意不復評點雖傾倒如尊文未效表章之力亦以例割愛也至名家專稿向來無一拙評拙序坊肆皆知其不爲此可案驗者如癸丑徐方虎趙聲遠黃伯和諸兄皆某夙昔好友未嘗以此相屬他可知矣憶趙聲遠兄曾爲下問某答之謂近世人品文章俱爲選家壞却目未識貴人輒呼其字甫若舊知深好者乍通刺謁已譜叙交契稱某某手授郵寄爲結納

答許方臣書

某東海陋儈，未嘗學問，亦未嘗自通於四方有道，徒以遷盍浮響驚大方之耳。曩荷枉詢，教以著作爲足與論文，所義者然。雖深感期意，而期許過分，非所敢當也。村居杜門，無京華往來之便，未嘗以荒言奉報，懷抱夙歉，輒踰歲時。茲更屬不佞之誨，猶省念諸惶惕無地。執事江淮碩宿，久爲四方所宗，其文流濺排累，適自成家，無趨時之習，并無以古建招之意，其足以信今而傳遠無疑也。乙卯坊刻，膾炙海內，與酒後乎天而審決者，皆合符券，亦既自信而信諸人矣。今以已信已行之後，復生藉口，又何自信之不堅也。某僭分無似，於遴家二字，素所愧服，偶因補葺亡友遺選，并列及辭諫，本于行述，並誤刺違本懷，致於癸丑後立意不復評點。雖價例如尊文，未効表章之力，亦以例割愛也。至名家專稿，向來無一批評捐序，坊肆皆知其不爲此，可深鑒者。如癸丑徐方虎、遺黃伯和諸兄，皆其夙昔好友，未嘗以此相屬，他可知矣。憶趙聲遠兄曾爲下問，其答之謂此世人品文章俱爲遴家壞却。日未識貴人，輒呼其字甫，若舊知深好者。今通刺請已，譜叙交契，稱其柬手授，郵寄爲結納梯媒之地士林廉恥掃地盡矣專稿之刻在內則主考房師在外則平生筆研師友爲宜若選家評選郎屬諂諛之事硜硜之意斷以爲不可聲遠亦諒其迂拘不相强也葢文字傳否自有定體本領眞足則久而益彰次亦因其本領厚薄爲時之久近其精光氣力外人不能掩亦不能爲之持也謂借選家時名足令作者不朽此選家誑惑自大語耳執事試思守溪熙甫應德諸公之文果賴誰選評而傳乎近時如某某稿爲選家所揚詡者不數年已隨烟草銷沉又何選評之有乎間有行而不敝者其文自不敝選家藉

其文傳耳楊子之書桓譚輩不能舉而望之後世復有子雲昌黎集待永叔出之敗簏中而韓文之論定則當時之無知者固亦久矣而古人不以爲憾且疑也今執事吳門原本大行於世同時之子雲永叔已不少矣何惑於未必傳而汲汲尋佛頭之糞哉且三復金臺集執事於古文振起如此肆其力爲之足與古人爭毫釐寸尺者在是時文直餘事耳顏子不貳過孔子從先進論古人皆附全集以傳無假外求也所教尊稿珍藏篋衍俟異日有續刻當盡發其英華未必無一斑之窺然此屬某論文之得失與執事之

文之傳否無涉矣千里命使愧無以塞責但能爲决
未必傳之疑亦執事之所快聞也隆儀拜璧敬謝厚
意未緣摳掃臨書皇恐

文之傳否無從免于里命使嫡無以塞責但能為決

未必傳之疑亦執事之所快聞也隆儀并璧敬謝原

意未罄臨楮懸書是恐

與某書

向辱賜書示以大著拜教匆諉時從敝親遞中得聞近履深慰遠跂昨接手札更荷拳拳某本村鄙業無淵源徒守童時誦習傳註不敢變耳講學之事不但非其所知亦平生所憎疾而不欲聞者也拙選止於癸丑以後不復從事矣目下收拾有明三百年之文爲知言集雖布衣社稿皆與焉但生存不錄以人物界限必葢棺論定也苦樣稿不備正在蒐討不審貴處先民文字有可訪求者否尊選歷科四百首何日成書別論作序弟之不文非其人也且有迂戾戒心

故即拙選數刻亦未嘗自序非敢托辭自外也幸原之天葢樓一本呈教匆冗不及一一

呂晚村先生文集卷二終

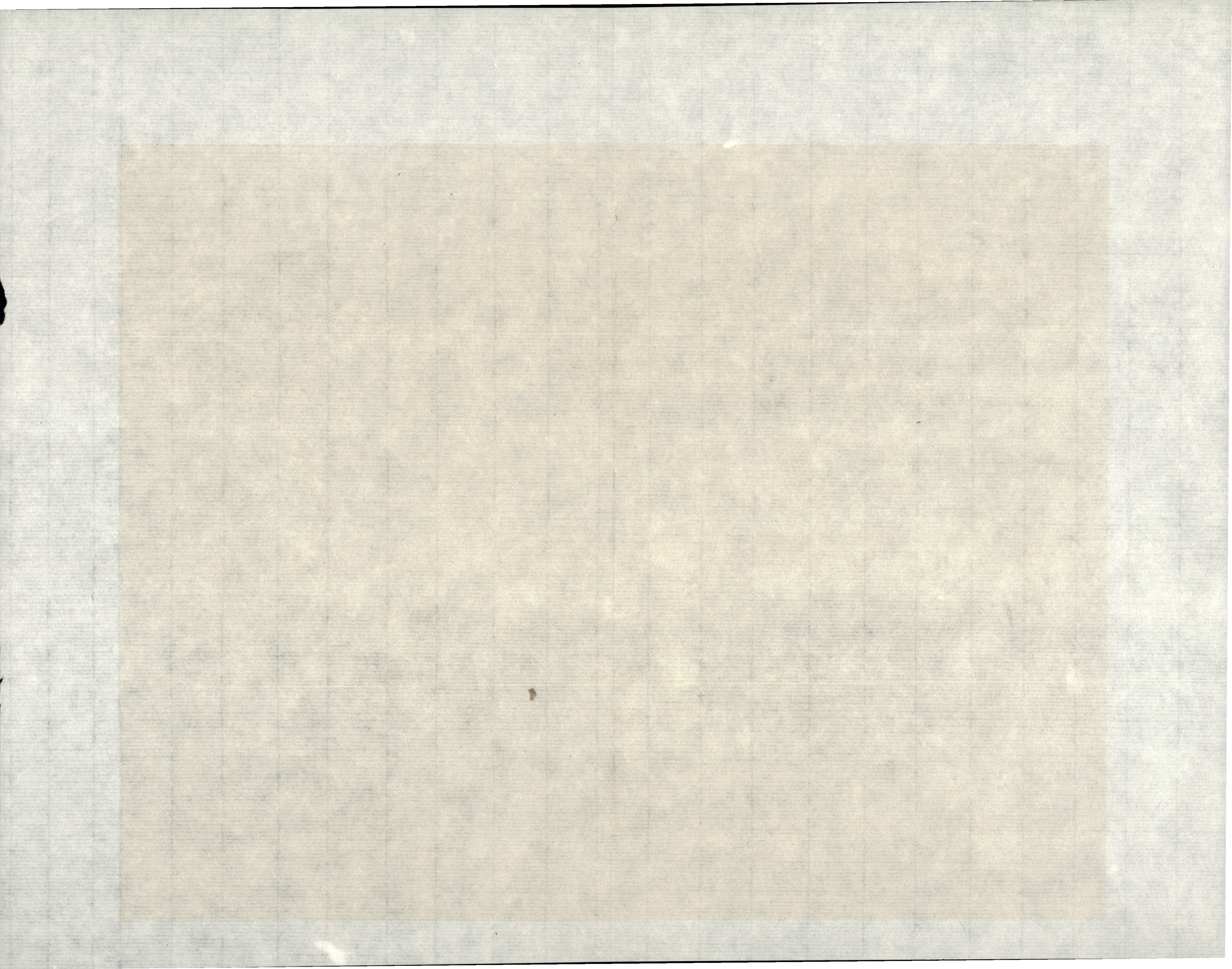

呂晚村先生文集卷三

書

答李萊馭書

弟非知文者也但不能自欺其一隙以强附時好率臆妄論當世不以爲大謬而羣異視之或且以爲有裨於文事其甚者則又謂不悖於聖人之道弟亦不知其然否也於坊本中偶得尊著玉衡懸秋異劍出土與塵物聲光逈異亟繰藉以傳示宇內正恨未窺全豹耳先生輒引爲知已而枉詞屈慮至擬仲翔之一人竊又自愧非其倫也三復手札及惠教全稿乃

知先生於此道源遠流長爲東吳之宿碩則更深抱不識程伯子之恥矣行將增定拙選公諸藝林不敢私秘也比又論次有明一代之文苐苦足目隘陋先生多聞廣交不審能爲搜羅遺軼否乎闡幽賞奇度亦作者之同心也詩扇之贈重於拱璧其中稱許逾分有非所敢當耳新刻金稿一本呈求是正冗次率率不備

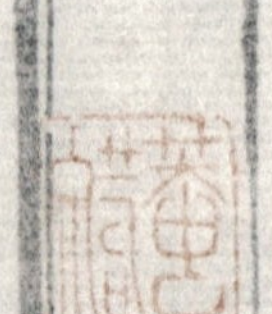

與沈靜展書

廿餘年濶别亦知交中一段奇話足見吾輩淡成落落之致然道駕無緣至語溪而弟時或至武林則疎索之罪實甚於弟於先生稽阮高致無與也昨承枉顧既失掃徑豚子拜謁反荷授餐茲復重以嘉惠新詩肆好和以清風茗氣如蘭致忘臭味感頌之餘益深惶悚葢弟十餘年來頽放無狀偃蹇村墟遂成麋鹿之性卽敝里親知多經年睽隔至當事門牆更久絶村子之迹矣以此趦趄不能摳候然懷企之私未嘗頃刻殊也古人有云屈於不知己而伸於知己今弟之硜硜正欲求伸於先生耳諒先生不特不我責更有以曲全而廣䕶之也蔣兒人文小兒誦述其槪已切景慕大匠門下定無恒材恨弟絶人逃世無從說項耳台諭雖心誌之恐無以報命有懷如何村味不堪聊佐清齋一匕諸有欲言當遣兒子詣稟不盡

復翁衛公書

客冬辱枉教村燈寒牖草草相見短語遽別又荷嘉惠至今懸企猶怦怦也某於此事本無師承又不勤學虛聲誤人爲害不小加以素性迂僻不堪應酬數年以來病苦百出未免偃蹇外間不察以爲有所迎距致取僇辱以此今春自誓不但不提囊行藥并叩關謁醫者一概固辭猶恐不免不得已爲山遊爲白下之行皆爲此也項令親數顧致虛往返接讀手教益知罪戾惶仄何言然細忖令孫兄脈候不過調理既前方偶中但宜守服久則神旺非他症比必須更換加減者卽有他端欲商第筆墨詳示便可奉對若必督其面胗非不欣企然柴門一開不可復閉使某何以辭於敝里諸親友也至尊教所責非庸俗伍不應一例相拒此實不然某概謝不敏尚名譽尤若有所揀擇於其間則其罪自亦無解矣古人有云士屈於不知己者而伸於知己使有揀擇亦寧受屈於庸俗耳若先生夙昔爲文字之神交近復承道誼心志之契竊謂得伸其硜硜者正於先生有厚期焉固知一笑而釋之形骸之外也伏枕率復統希鑒厚

與黃俞邰書

不見顔色有年餘矣村莊灌植之暇亦時繙舊書拂几開卷未嘗不憶我俞邰也世間知書人有幾讀書人有幾惜書人有幾六陰晝盡微陽不滅正賴此耳非結習癡癖之謂也得手札知近履安勝不減探討較讐之樂甚慰甚慰鹿床翁意況何似比在何地讀倡和落句情深文至三復闇然愧村子不足以當之耳欲次韻奉酬俶擾中尚未得其緒前所寄拙稿乃舊刻非新作也小題今始印就以一册送正爲兒戲則劇於此時何異戒嚴講老子乎亦欲見其癡頑耳所借書郵寄恐遺失誤謹收貯俟他日致呈弟書知爲愛護不煩囑也昨雪客字來云劉雲莊集二本爲程子介所浮沉度子介爲吾兄所厚不應有此憾事況此係弟借兄委不可不力索還之知兄惜書之心在彼猶在此也患瘻經年近復病疥不能執筆口授兒子奉書不盡萬一

與周龍客書

弟本鄉迂以多難失業未嘗有所實得率意妄言每不爲君子之所棄亦其遇幸耳乃吾兄傾蓋投契又出尋常期待之外昨得手教情誼殷摯令人感愧不自知其何以得此於吾兄也至欲以過分相處弟何敢弟何敢在吾兄則歐陽子所謂謀道之急不擇人而問而在弟則柳子所謂環顧其中未見有可取者爲衆人師不可而况吾子者也吾兄天姿奇儁上承家學之源內有昆弟風雅之助外多良朋名士交游之益又加以好學深思歙然不自以爲足之心以此進德修業其勢如渥洼天馬得安驅於千里之康衢雖老驥顧之阻喪况弟之駑駘乎哉小題一册呈正手瘡作惡不能搦管口授兒子牋候不盡

與周雪客書

年餘不相見顔色時來夢寐荒村敗壁倚樹臨流出所惠竹根杯與鄉友稚子浮白輒舉豪契風流以爲話柄惜遠不能致耳伏審近履自太夫人以下皆安善弟别來無一佳狀鄉居稍習性同麋鹿與世間觝觸不堪竟成獨腐塵坌澒洞不知所屆食指數百枚號啼無策過一日且作兩半日其槪可覩矣小題刻已久因無紙刷印今始成部一册奉之几上爲粘窗引睡之具此何時猶作此生活亦可笑其癡頑也痔瘻未平又患瘡毒不能握筆口授兒子書候不備

與周雪客書

六年契濶無時不思兒輩歸每述明德深用慰企弟降辱餘年修不如短老兄知我亦不爲弔而爲慶耶珍貺遠須不敢辭却然實有所不安謹令小子叩謝所許詩册在吾兄贈言隨時儆策重於球璧誠所樂得而讀然正不必以壽爲義也若徧徵他友之作不過虛譽浮名祝讚長生套語有何意味萬勿爲也弟嘗謂壽文壽詩起於末世夸誕營競之俗古來文人之所無有也至於屏障軸册尤流俗之失吾輩今日正當力矯此弊耳如何如何月川集得刊行乃世間

一大正氣事非小小功德其餘如薛文清讀書錄胡敬軒居業錄多爲流傳皆有功於往古來兹者先生得無意乎弟精氣衰敗思纂輯舊聞急了欲了之書而臟毒日深不知尚有幾時偷息造物肯容成此否耳比臥疾山中不能執筆口授兒子繕奏未盡

前有數行奉寄想已塵台覽矣比來意況復何如闔宅大小佳勝所業又何書有新得否令子用功精進足慰孔廬傳貽之意便可一切勿問矣翁自遭先仲變後心緒惡劣事端棼踣直無有生之樂更不足爲老兄道也前札所稱某某見許此固野人之幸然非野人之意也翁之論文自論文耳何嘗有某某在其心目中乎孔廬老婆心切欲於此中尋取上乘根器翁竊未知其可也先儒謂佛門若有一箇男子臨死時定索尺布裹頭去立身兎裂更論何書豈非鬼念

與徐州來書別號孔廬

大悲咒耶淫坊酒肆盡是道場只除異端有此懺悔活路恐儒門無此法也吾輩雖欲曲爲之通其如枉已正人何若今日不可無扶進撥轉之功亦只可望之未經沉溺者耳波中品類豈肯復登陸耶偶於亂紙中得少作數帖雖未成書聊奉克喬梓開窗一噱餘帖分致俞卻仲枚雪客龍客闇公鹿峰諸兄又敝門人董杲方白稿前語欲一本今奉到十九本惟賞識取用餘本渠欲發坊取值買四象橋水筆不若竟留案間友朋間可分者分之每本價五分付敝寓友人買筆不審可否翁經年不至金陵所發書坊葉姓

者頗苟欺蝕之意敝友素之不吐倘終於頑梗欲仗大力與雪客兄以法彈壓之深感相愛之誼事悉敝友施卓人口中餘嗣及不一一

香賸蒲撲蝕之意撤支柰之不吐倘移於頑梗欲使大力與雪客兄以法彈壓之深感相愛之誼事悉撤文施卓人口中餘論及不一一

復徐孔廬書

降辱餘生俯仰多疚讀贈言鞭策重遠令我愧汗古璧温栗拜君子之教深矣未獲躬謝先令豚子叩首以頌明德弟比買得一小山名曰妙山離家百里許有峭壁深潭長溪修竹將埋身其中補輯舊聞以畢此生不復知有世事矣惟老友一相思千里命駕耳塵氛讋逼令人心悸常恐造物不容便負斯志如何如何臓毒困臥不能執筆口授兒子繕奏

與徐子貫書

正憶喬梓近況而尊札適至喜慰不可言承惠製黄知見愛之切至謝至謝來教云近看近思錄心中稍静其所得也大而進也遂矣乃又云無得不進何也此書最難看於此有見視羣書直土苴耳教授講小學亦是極頂事業作聖之基名世之具備於此矣某近正思刻小學曩晤施虹玉兄云書鋪廊鄭店有高足以欽兄藏熊勿軒注甚佳不審可惠借一錄否幸足下爲我一訪請之知言集料深望同志留神所示近稿二册劉則狐禪陳則俗套無足選者即節取亦不多也敝友行急不及作書尊公前乞叱候

與陳柳津書

久不奉書問伏審比來福履動定有相德門大小和祥足慰遠懷太原修阻久虛音信不知家報已收幾次意致何如便中希示一二息疇昔奉教謬承知愛竊嘆眞淳風雅逸趣坦懷諸親翁所同而志節矯厲不隨時俗則於親翁尤切仰企之私前者忽聞有[redacted]之事初疑必無是理曾與湘翁令弟言及囑沮再三謂斷不宜做即湘秋二親翁已入世途者於分或可應然尚當以利害自止況親翁自命何如人此是何[redacted]漫然一呼而出耶此已事不必言昨從

友人處見貴邑公憤文字則竊以爲失禮之中又失禮也凡作事立說先須照管自已即自反合禮古人尚有奚擇何難之義況自反此事不當爲而爲則傷義人不可與而與則傷智已先坐一半不是矣譬之芳華吹墮圂溷其平昔臭味識者雅自辨之但此時淘漉欲與穢物分別香惡則既入其中淘漉一番播穢一番惟有均不堪耳深山窮谷有志之士聞此舉者固憎惡彼非然亦未必肯放過賢者也紛紛者又何爲乎文字中波及某者二條不覺慚悸無地如云求某賣劉書與姜二濱因某得見二濱尤屬誕謬某

與二濵從無交因且中與其郎汝臯論醫故徃還數
次二濵僅一面耳只此一端不惟摭事失實將以某
爲何等人哉某方埋沒身名以無人齒及爲快何汚
之至此文字或未必出之親翁然未有不與聞者豈
親翁平昔視某爲曳裾屈膝齷齪無恥爲蠅營狗苟
之人耶今後伏望親翁悔厲自愛置之不言立身進
德富有日新彼中愆尤不但公論難磨卽其本心上
亦自揩抹不去豈不更甚於兩觀乎因尊使歸草泐
無緒俯冀鑒督恕其唐突何時北來杯酒話舊一吐
欲言耶諸親翁前不及一一俱望叱候不盡

與陳簡齋書

僧寮唄火剌促夜分八識田中已鑄一善讀書論文之簡齋於今九年不自今日也此後草頭行脚屢過海昌自顧非復向時行徑不欲溷公耳近則如猢猻山鹿野性已成聞蛩然之音畏而却避若引之入坐有不止裂衣狂走者矣其病如此非敢自外雅懷也老友辛齋鼓峰已並致廡下此玉山之廉夫伯雨也臭味風流歇絶已久一旦爲簡齋拈得古之欲招陶陸與遊者眞不啻老傖矣咿啞所及偶塗扇頭江上晚來故是村學中本色語耳經作家勘驗令我背汗

直流鼓峰近詩又增一格直破半山之壘老兄晨夕唱酬亦信之否乎辛齋遠歸聞其體中尚未健殊念切也前因鼓峰行早不及裁答深以爲愆率泐附候不盡萬一

與陳執齋書 別號湘

籛候至得手教諗近履安勝爲喜十月初存甥見痘今已回好但眼皮發餘尚未乾已無他慮此德門之蔭亦足慰尊親遠懷也第某子孫四人出痘而殤第八子賤室終日悲淚酸痛不可聞以此心緒殊惡耳籛候明歲事舍姪孫年尚穉而受成昆季不容怠玩兩者相較自當舍語水而就姚江在某親疎之誼亦無分彼此也但某本無知能而籛候強納一拜兩年以來思少効力於籛候雖粗發其端而於老生箋箋之緒尚有所未盡卽說書之理不能無疑行文之法

不能盡合在某所見已如此況其上焉者乎以此爲師不過流俗中一琤琤者耳名師二字尚未許承當先生欲得名師以訓子姪而急求籛候究竟止取其習熟省便耳然爲籛候計明年必當舍姚而就語卽爲令子姪計亦必當令其舍姚而就語何則令子姪之不可緩固甚於舍姪孫而籛候之不可緩更甚於令子姪使籛候之名師有成則令子姪不過從容歲月間共砥礪更有可觀則爲彼正爲此也儻先生以爲吾子姪期速成耳安用此迂遠不切事情者然則如今月之籛候遠近不乏其人亦何用取必於籛候

令其自誤誤人哉以此擅爲决計令明年仍就此地相期猛力講究以副先生屬望至意度先生與人爲善爲懷於初旨似殊而實合也裁兄文領入褻指已爲刻二首矣匆次奉報未盡所云

今共自談議人哉以此擅為決計令明年仍就此地相期猛力講究以副先生屬望至意使先生與人為善為懷於初古以殊而實合也哉兄文領人棄指已為刻二首矣無次奉報未盡所云

與陳湘殷書

朔日正寄字奉候越日而親母夫人至既慰違離復感存没一喜一悲情難言喻親母即欲東渡其以長途勞頓攀留村莊調攝待精神加旺起行脈候和平可紓遠念因與親母語及先生寬仁恬淡於官途嶮阻固多所不堪然以愚計之將來即錦旋珂里亦正費商量葢責望者衆則觖怨必生觖怨生則仇隙必至此無論能應與不能應有力盡而不見信之勢故每見貴鄉官成諸君多有建業於三吳想亦由此也先生何不於杭嘉閒營馮驩之一窟爲進退之計其事亦易爲且使吾輩得以相依盤蔬斗酒池邃林畔尋晚年聚首之樂乎狂言未必有當聊以備蒭非之採

答陳受成書

兩省來札知進脩之志甚篤恐虛少壯歲月此意極難得但吾儒正業與流俗外道自別外道但欲守其虛靈以事理爲障故必屏絕塵緣以求之流俗陷溺於詞章句誦亦必離遠應酬而後得力若古人爲學則不然朱子解格物所謂或考之事爲之著或察之念慮之微或求之文字之中或索之講論之際使於身心性情之德人倫日用之常以至天地鬼神之變草木鳥獸之宜莫不見其當然與其所以然凡此者皆學也如足下今在署中過庭之際其所以服勞承志者如何尊公事務鞅掌卽可以考得失感應之故與所以經畫之方或有所行役則亦可以察風俗覽形勝訪古今求人物亦無非學也得暇卽讀書閱史以擴充其所未及總在立志專一則凡所閱歷皆於此事相關若志趣游移雖博物能文總於己分無涉足下試從此求之事理既明德業自進卽行文亦必沛然條達與向不同他日相對正好商量也莊中近復小葺當淨掃一室以待吾受成耳有便信時寄數字

與吳孟舉書

自吳中歸瘦患復作行步支離致疎艮晤承示讀周先生史貫覈而不刻辨而不畸有永嘉監論之精無眉山翻案之失眞翼經之功臣論世之尚友也村縶展復不釋吟嘆劉鳳閣云史傳淵浩非探賾索隱致遠鉤深者烏足辨明哉弟於史學向未有知周先生書成得卒業而問津焉是所願耳吾兄綜貫古今識神超朗玄晏之任舍此安屬弟之不能兄所知也抑有一轉語聞絃賞音足徵雅曲雖未能盡窺全豹然於論輗輅子見其痛心於治亂大關論孔博士知其出處之不苟論焚書明此道之必不煨燼於烈焰有心哉其蘊負如此周先生非今日之人此書亦非今日之書也寶鏡在懸鬼燈失燄藏之石渠布之寰有固周先生意中事耳吾舌長存斯言不朽何用汲汲于蒼公醒唪間尋佛頭之糞耶試以狂言質之周先生資一大噱何如原稿薪完去并致執鞭之慕月初復理秣陵之櫂歲內或未得歸則相見在梅花後矣

與吳孟舉書

前因相訂湖上十八日早從餘杭力疾趕至則吾兄已於十七早行矣悵極悵極志書之事非吾人之所宜爲弟之愚自審所處固不必言在吾兄亦萬萬不可義理有是非世故有利害兩者皆不可也吾兄於此未免尚有意與於義理雖明知而不親切漸且不以爲然故敢切直言之至弟之關係更不小惟仗兄與喬三護持之力得爲弟決絕此事乃深感也前見喬三亦以弟言爲然然其語云吾輩暗中相商於弟不知此所謂掩耳盜鈴也若此事可做則宜直下承

當何必如此即吾兄所云家世文字須料理亦係流俗之見此意不明都無是處說至此令我氣塞矣不盡虔禱

與吳孟舉書

千里遠別乃以瘍累不得執手河梁殊用耿耿兄體中初和宜加意保攝出門與在家不同飲食起居分外當慎雖藥餌勿妄投也途中雖衣船足恃然萬勿後張以招意外之虞關津閘口勿臨險登眺至燕尤以收歛謹密爲主最要戒譏評重然諾勿爲快意之舉勿爲炙手之緣禁絕鬭戲屛遠聲伎庶足以保身進德省費避尤但以詩文風雅自重於儒林以兄之才華取自然之令譽天下且將欽慕之不暇豈假塵坌徵逐以取之哉知兄明敏不待弟言之及然私心惓惓有不能自已惟吾兄察之便中時寄數字見慰燈下草草不盡欲言千萬珍重方虎兄一字附記室致之

寄吳孟舉書

臘月奉書附勞宅幕客不審幾時至邸履新動定有相旅情和暢足慰千里之思尊門大小平安可無煩縈念弟於季冬舉第七子正月又添一孫食少口繁徒多爲累而浹旬中連遭先姊姊丈之變還廻烏鎮情緒之惡更可知矣斐如兄傳兄歲底一信云正月書升必得差决計同出最善最善又聞積分例行則尚須留此此亦在兄自審機宜難於遥斷弟書升出而兄獨留凡事尤當加意歛約以坐館爲上依友次之斷不可自借華寓借華寓則必將供帳宴會內無人必至畜姬妾從此鋪排不可收拾矣區區所祝惟願兄謹交遊遠聲伎節浮費嗇精神馬弔之戲斷勿復近傍人勸服槐花飲子勿與商量而已其中尤要慎赫奕之迹古來文人失足未始不因文字相知也近日友朋在此中大約只爭目前些小得失不復知有平生品行蠅營狗苟眞不可令冷眼人靜處笑看吾兄夙昔洞然今更當高着眼牢跕脚勿爲所移惑也前札中云梁姓者多藏書許借楊大年集今錄上宋集目一紙幸細問之有可假者亦快事也所惠恭順餅共包香綿紙乃燕中最多之物頗堅韌可用望

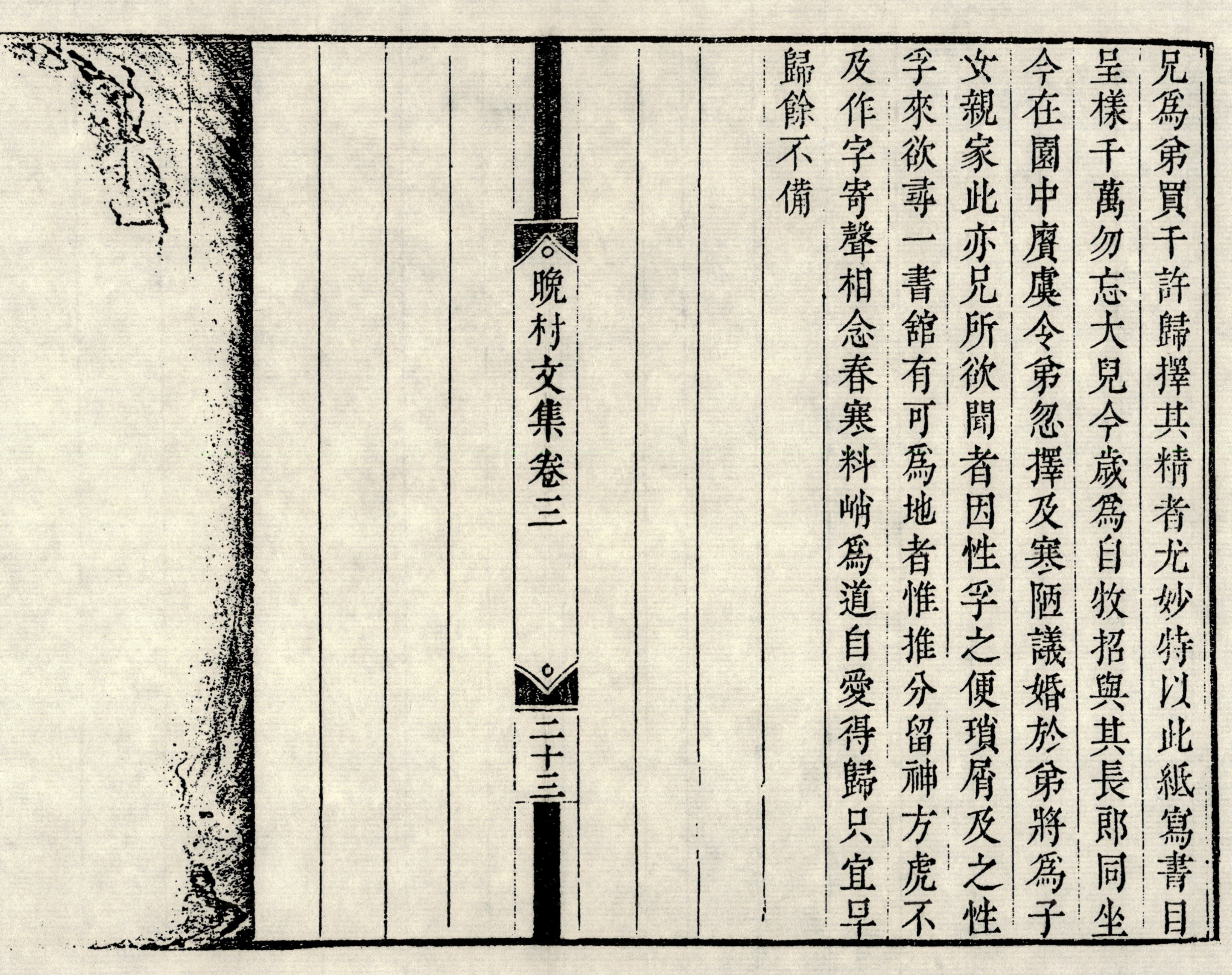

兄爲弟買千許歸擇其精者尤妙特以此紙寫書目呈樣千萬勿忘大兒今歲爲自牧招與其長郎同坐今在園中賡虞令弟忽擇及寒陋議婚於弟將爲子文親家此亦兄所欲聞者因性乎之便瑣屑及之性乎來欲尋一書館有可爲地者惟推分留神方虎不及作字寄聲相念春寒料峭爲道自愛得歸只宜早歸餘不備

復吳孟舉書

得十九日書悉近狀甚慰遠念讀答方虎語尤感尤喜歎老兄知弟之深愛弟之切而教弟之至也方虎二十餘年之交契分非不篤然終是世故中人方且以留夢炎程文海自處於語知已何有哉歸時當叩首謝兄益我耳聞比有疾惡之事不知進止若何弟意終以玉不抵鵲吾輩胸界稍寬便不直與較如其機既發又不可曰吾小懲之足矣操刀必割勢自如此君子之待小人常疎小人之伺君子必密我以游戲處之彼以切骨銜之不可不慎也便中望示其概

以慰懸切弟此間行止未定畏暑欲俟秋歸若吾兄楚行必果則弟留此以待爲廬山之游如其不確則七月望後束裝南矣亦候兄教決之耳諸所委已悉陸續寄奉兄處宋元集及經學書目乞錄一紙來黃俞邰欲看也

與吳孟舉書

接札深服教益意趣之合未有及此者又喜吾兄必擴充此義以共砥有成也苐如尊教所云艇子繫門東西問津便恐將來此地又成熱閙則弃累此莊奈何昨得復仲表兄之訃竟客死粤中爲之痛悼人生不力學自拔便爲貧老所困豪奢之習未能忘飢寒之味不能忍甘以玉骨委之塵壒回顧生平無一成就如復仲兄者眞可哀也鋤頭二事領惠謝謝日來稍稍翻葢修葺力作之人朝出暮返爲工無幾兄當中有蚊蟵借我一床但取寛大不妨粗惡事畢卽璧若爲價不多者奉值銷號可也有暇過莊中煮茶清話以商種種望之望之

與吳孟舉書

兄發猛閉門讀書謝絕一切此吾道之幸豈直兄自了事哉可慶可喜可畏然又有可慮則恐虎頭蛇尾耳此事一有進步不第詩文道上於吾兄德器必能脫去凡近所造日高非弟所能望其肩背也抑又有奉獻之愚兄近來於聲色太豪竊謂顧瑛楊維楨不足效前移居札中業已發其覆矣兄高明豈不鑒之乎即兄自謂精力過人不妨游戲不審保嗇此有餘之精力爲平生大事用不更善乎迂言或有當望察擇之惠茶又得省客之教拜賜尤多也謝謝

與董方白書

違離半載初返園扉思尋友朋里黨之樂不謂舟過北門忽睹妖異營搆倉皇駭問其故則曰新造小齊雲問誰主之則皆平昔交好者僕止之不能諍之不應不得不望救於同志竊謂此事有大不可者七祟尚異端誣民惑世即無知妄作猶恃紳儒正人起而禁遏之況可倡此厲階耶一也年不順成者三載矣今歲幸無他然十室九空流離未復今無故發此大難之端度所費不下數千金時絀舉盈極爲民害二也或者舊時原有遺跡而修復之然且異端教宜汰

不宜興今忽創建非常此風一熾燎原難息民生何堪三也數年前海濱特立小普陀致三吳愚氓燒香雲集男女闐塞千艘驟擁穢跡彰聞包藏叵測當事震怒擒其渠魁寘之法禍乃得解此覆轍不遠今小齊雲之名一播遠近恐其患更有甚焉者矣四也此地係通邑咽喉商賈薪米於是乎聚漕輓官艦於是乎經因河道逼狹平時尚有剝淺阻塞之虞將來香船駢擠又何以堪況吾邑疲弊幸上下皆恕其貧苦以故數經凶荒而得免今舉動若此將浪得殷俊之名來箕算之誅求動不測之覬覦以貽當事之憂五

也又聞此地曾有尼築菴以損傷地脉爲詞撤之且經中報上司矣尼之與僧有何分别菴之與殿又加大矣豈尼凶而僧吉乎抑菴則傷脉而殿又忽致福也萬一有執此說以論可否者前後互異不知諸公將併中尊何辭以對上司也六也私剏風有明禁昨見孟舉兄云杜公意亦不以爲然然則其爲非法可知矣不知諸公何故執迷必欲畔正道觸禁令違父母之訓而徇此邪妄之說耶七也葢其說實惑於風水不知風水之術即使有之亦當論地脈之去來消納方爲實理今但云去水方位宜與殿閣夫水行地

中屋架地上水不畏屋高而逗遛屋不惡水流而拒阻此理之易辨者也若果有益水口則北寺之巍峩與夾岸僧廬已足扼其吭矣虎嘯之欝聳又足攔其要矣又安用此叠叠者爲况吾邑去水之口甚多登雲橋以南對縣治直走者十餘里郭南橋以東南寺以東迎恩橋以東北三里橋以東傷縣治横瀉者皆去水也又安得許多地藏殿以塞之哉此風水之說更可不待智者而破也此事一時之成毁似小而關吾邑後此無窮之利害實大僕人微言輕與諸公曉曉竟不見省伏望足下以此理直告之杜公杜公爲

吾道計爲法守計爲生民風化計必深且切倘得毅然禁止永絶妖妄則陰德之及吾邑者直與語水相無涯而足下衛道之功亦非淺尠也舟次草草虔禱千萬

吾道許爲洪守許爲生民風化計必深且切倘得毅然禁止不絶妖妄則隂德之及吾邑者直與諸水相無涯而足下衛道之功亦非淺尠也拜次草草使覆

千萬

與某書

前日別後微窺兄意尚未甚以鄙言爲然故又囑方白詳致繼晤華老亦曾托道此意又會孟舉兄叔姪極言其不可諸兄皆吾輩道義素交故弟與痛切論辨蓋此事關係非小不意諸良友偶誤至此弟歸數日耿耿憂懼三夜不成寐但爲此事今知兄高明必翻然不吝徙義之勇不煩弟嘵嘵矣頃晤華老觀其意中尚戀戀不忍舍有姑縮小其規制之說此護短遂非調停之俗腸非賢者光明磊落之道也漢高祖聽人言宜立六國後卽爲刻印後因子房言不可卽

立促銷印千古以此美高祖之光明磊落眞大豪傑作用當其刻印未嘗無說見其納言之廣當其銷印又第見其改過徙義之敏決天下後世稱歎無已何嘗議其始之誤聽又何嘗笑其後之不終哉故此事兄既知其誤宜卽斷然已之萬勿作調停猶豫之見況聞此地向有尼欲造菴縣間曾有以傷地脈爲辭申報上司矣尼之與僧有何分別菴之與殿以小易大在世法亦有所不可杜公昨見孟舉言及此事豈可違法以徇妖妄乎今直以杜公不可之旨下場甚正大甚光明磊落兄斷勿失此機會也抑弟又有慮

者凡禿丁之毒謀最深諸佛總中之慫與正熾必不肯中止度此事非兄與諸友不能必然多方摇惑吾兄或以吾輩作事不可失手自廢或以禍福或以募化之物已收紛紛俗說兄須毅然以理義斷止使其說不得而惑彼見諸策不行必將造作流言以激吾兄或增揑弟不堪之語爲離間之計皆勢所必至惟兄明鑒而勇斷之也南中遠近有道有識之士聞弟述吾兄梗槪皆敬慕不置此舉若遂其有損於吾輩德望不小弟聞朋友之義猶臣之事君君過不諫非人臣也友過不諍非人友也事君之道諫不聽則以去就爭之今弟亦輙敢以去就决之於兄及諸好友儻此事終不可罷則將來集雅之堂必無某之跡矣惟兄高明勇决逈出流俗可與盡言弟此號呼聲淚迸出矣伏望鑒其愚戇而採擇之幸甚幸甚禱切禱切至禾數日度十七八定當歸叩尊齋若經過北門見營搆巍然便不復能東也瀕行草草不盡

與某書

方白昨過致尊旨謂弟與孟舉日遠日踈不可不亟爲修好釋嫌之事其言眞以切其情深以厚其計慮亦遠以周此弟之所感激而欲涕者也然反覆籌之有所必不可者不得不詳其說于左右昔弟與孟舉非尋常悠泛之友也其才情頴朗意氣展拓謂可同切劘於正人君子之塗冀各有所成就非世俗徵逐酒食往還禮面以爲歡也其母夫人識弟於稠人之中命之納交如其嫡從之屬孟舉亦竭情盡歡表裏無間者十有五年而有劉行楷余蘭之變賴兄與諸

友縮合至今又五六年矣弟受其解衣推食吉凶同患之德既渥且久夢寐不敢忘今日但有弟負孟舉耳不可謂孟舉負弟也嗟乎弟何心哉弟何心哉葢所以斷斷不合者實弟之迂拘僻戾自足以取之富貴利勢天下之同好也必曰詩書禮義忝禪付法古今名士多爲之必曰異端邪說之當闢驕奢淫欲得志於時者之所爲也必曰收歛保嗇毋踰繩墨謟臣媚子所以娛心志也必曰親君子遠小人戲弄博簺講習聲技豪家之風流悅世之善物也必曰是非君子之道名教中自有樂地凡吾所欲爲遊吾門者皆

當逢迎順旨雖否亦可此忠於所事也必曰是則是非則非一氷一炭一朔一南背馳遼絶乃欲强挽而使之同兄試思之將令弟改轅易轍以就孟舉乎抑能令孟舉棄其所樂而下徇匹夫乎兄亦知其不可也何若使孟舉自快其人生行樂之見無復有僞道學之可憎敗人意與於其間亦使弟自適其枯槁絶物之性不睹不聞無復憂惶駭愕鰓鰓嘵嘵日取罪於達人所謂彼我之間各得分願不亦善乎盍所爭在志趣不在事迹事迹可以修釋志趣不可以修釋也方白云吾兄亦知難於驟洽且求全故交之念切

欲弟姑自貶損無深求且作尋常悠泛之往來於義宜無害然弟又有所不可者思當時交誼期許之過深今忽改而之淺吾不忍爲此態也又思劉余變後孟舉本無悔過服罪之心徒廹於友朋之牽搼勉强相通周旋世故外合中離誠意不孚所以復有今日錢若水所謂無品節高蹈之臣所以貽人主之輕鄙揣蒙正之眼穿復位譏昌言之罷斥流涕皆苟且依違之有以自取也豈可更蹈前日之覆轅耶朋友之倫與君臣同皆以義合不合則止如爲行道而事君道不行則潔身而去此難進易退之義也若當時以

道不合而退矣又欲其降而取乘田委吏之義留戀苟容則大不可也文叔在上下放嚴光士各有志豈能相强今者孟舉原未嘗絶弟弟自不可立於孟舉之庭耳夙昔之惠但有感恩豈敢怨乎吾兄徃矣致語孟舉江湖浩浩遊乎兩忘之鄉斯可矣各匿其意貌與盤桓名曰世情實喻黠之所爲又何取焉言不盡悃統冀鑒諒不宣

與董雨舟書

浪遊半載固多離羣之歎而於吾兄疎遠更有異於尋常百倍也舊京所遇殊無足道止鈔得書籍數千葉差足快意耳然覩兄閉門養高之樂又有雲泥之別矣歸來見里中所爲不道不勝憂憤喜方白志同語合乃得暢所欲言接手教固知淵源之有自又喜老友雖久睽而此意未嘗無水乳之契也持正闢邪之功實出喬梓弟又何益之與有承諭力民明歲之計兄之子孫猶吾家也兄但計其合當如何得力民成就遠大弟固視而望之其敢以私利礙公家大策乎方白近來斂決亦迴乎不凡不知兄門將來昌大當何如也極欲晤對以盡濶悰未識何時能過敝齋作數日暢談冗中率率未盡

與董雨舟書

尊教至適弟已入省遂致稽遲豚犬重累載臣侍喬梓夙昔世雅故敢以輕鮮唐突若見麾却令我慙恧無地矣雖知己情逾骨肉無藉虛文然兒輩終身始事不可不存此戔戔之意也伏望一笑置之虔禱虔禱歸君已下榻荒村但風雪中難爲載臣甚不安耳新年正望杖履過從商定山林經濟耦耕之志於是乎有成眞人生快事也

呂晚村先生文集卷三終

書

與徐方虎書

江城度歲景物光陰別見客中興趣雖遊槖不甚稱意然吟咏所得自足豪矣目疾困人知清齋習靜不日自可弟爲荒村風鶴不能鼓枻候晤西望怏然老畏城市甚於萑苻不自知失保身之術亦足見其迂戾而闇於事理將來欲令家人入城以此身委之而已小兒駑下愧勿能教幸得親門牆正賴鞭箠之力萬勿以成人待之昔友文字刻板已竣專待大序行

世弟友大半皆兄友也而弟平生於交遊閒情事及雲雨變幻之來亦惟兄知之最深幸勿惜一援筆揮灑此意拜賜多矣姚江近狀亦各行其志但依附其門者必見攻以示親信如演義所云投名狀者真可怪笑也有如別諭其曲折可以意想吾輩亦無如之何止當謹默自全庶幾遠禍之道吾兄以爲何如承名泉珍味之惠至謝至謝新刻金正希稿及先外祖稿各一册附正晴窗引眺時不無少助也餘不多及

答徐方虎書

弟病極矣光陰無幾汲汲打包猶恐不及痞鬼糢糊苦不相投臥想碧巖蒼弁之間自是神仙會集非病傖所得與也有人行於途賣餳者隨其後唱曰破帽換糖其人急除匿己而唱曰破網子換糖復匿之又唱曰亂頭髮換糖乃皇遽無措回顧其人曰何太相逼生弟之薙頂亦正怕換糖者相逼耳兄不哀其窮而加歎美焉毋乃過耶旌德湯生不特爲弟寫樣并管刻局中事若此公一出則十餘人皆須散遣矣故不能也有呂建侯者寫字亦相同但手慢每日不及五篇故其人自不肎寫今特令之過從若希兄以爲可用則留之否則急遣歸弟處鑿補等事皆賴之也小兒刻文一本呈正幸批抹教之

答徐方虎書

弟病痼矣先隱無幾淑汝打包備張不及詳過模糊

昔不相接臥想習氣恭弁之間自是神仙會集非病

僧所得與也有人行必從實錫者隨其後呂曰敝帽

與糟其人怒除匿已而呂曰敝緇于擲糟復匿之又

呂曰亂頭髮與糟乃呈還無措回顧其人曰何太相

過生弟之擁貞亦正怕與糟者相逼耳兒不哀其窮

而加藏美焉弊乃過耶從德過生不特為弟窩稼弁

脊刻局中事若此公一出則十餘人皆須散遣矣故

不能也有呂建行者寫字亦相同但手慢每日不及

小兒刻文一本呈正幸批抹教之

可用則留之否則急遣歸弟處鑒補等事皆賴之也

之篇故其人自不宜為今時今之過從若弟兒以為

答韓希一書

年餘間別時時往來於懷方老屢約爲弁山之遊而弟衰病日逼生趣索然九原不可作者行將就之耳登臨之事度非所能矣昔人所以歌爲樂當及時也試牘文字弟素性所不喜葢時論以至庸至俗之文則名之曰墨卷體而以無理無法者則名之曰考卷體世間惟此二種惡業流傳耳弟之惡考卷體也又甚於墨卷以其尤遠於理法也交游間有投贈者即以糊壁覆瓿未嘗有所留貯故無以應命惟質亡集有故人試牘附覽弟處自開刻局有二十許人皆恃

湯生一手寫樣給之而刻局中一應收發料理亦皆湯生主其事若令出門一日則二十人皆須罷遣矣故勢有不能有呂建矦者其字與湯生同但手慢每日不及五首其人自以爲非策故不肯寫樣而爲琢硯鐫碑帖雕印鈕刻扁額齋聯諸事時下無出其右者今特令走謁試鑒定何如明文備從未繙動承令表弟索取謹以原本納還幸致之舍姪於杭遇關姓者雜貨店人也而好名自言有明文數千肯相借未及浹月即促索至加訶責急還之乃已於此悟文之宜買不宜借也先兄遺文之賜如獲拱璧感謝感謝

蒼水先生已得其全稿若月函固無可著者若其人已古可入質亡集耳小兒新刻一本小草三帙呈正
尊公前幸致候伏枕率率不備

春木先生已得其全稿若月函固無可著者若其人
已古可人貨亡集耳小兒新刻一本小草三帙呈正
尊公前幸致候佑杭率率不備

與張午祁書

尊恙餌藥來有進無退自是賤技庸劣不能測中病機耳更酌改備擇善自頤養博採名術以復天和此遠懷所禱也古老志節之士雖時喜禪悅然非其安身立命處若付之闍毘是以西裔待之使不得正其終恐有所不忍其慘毒又甚於暴露矣爲計山中葬埋爲費有限且禍福無主隨地可藏幸致山眉兄圖其合於義理者爲之勿以苟且辱志士若資有不給吾輩朋友之誼各有不得辭羣力衆舉似亦易易也草率附復諸容晤悉不一一

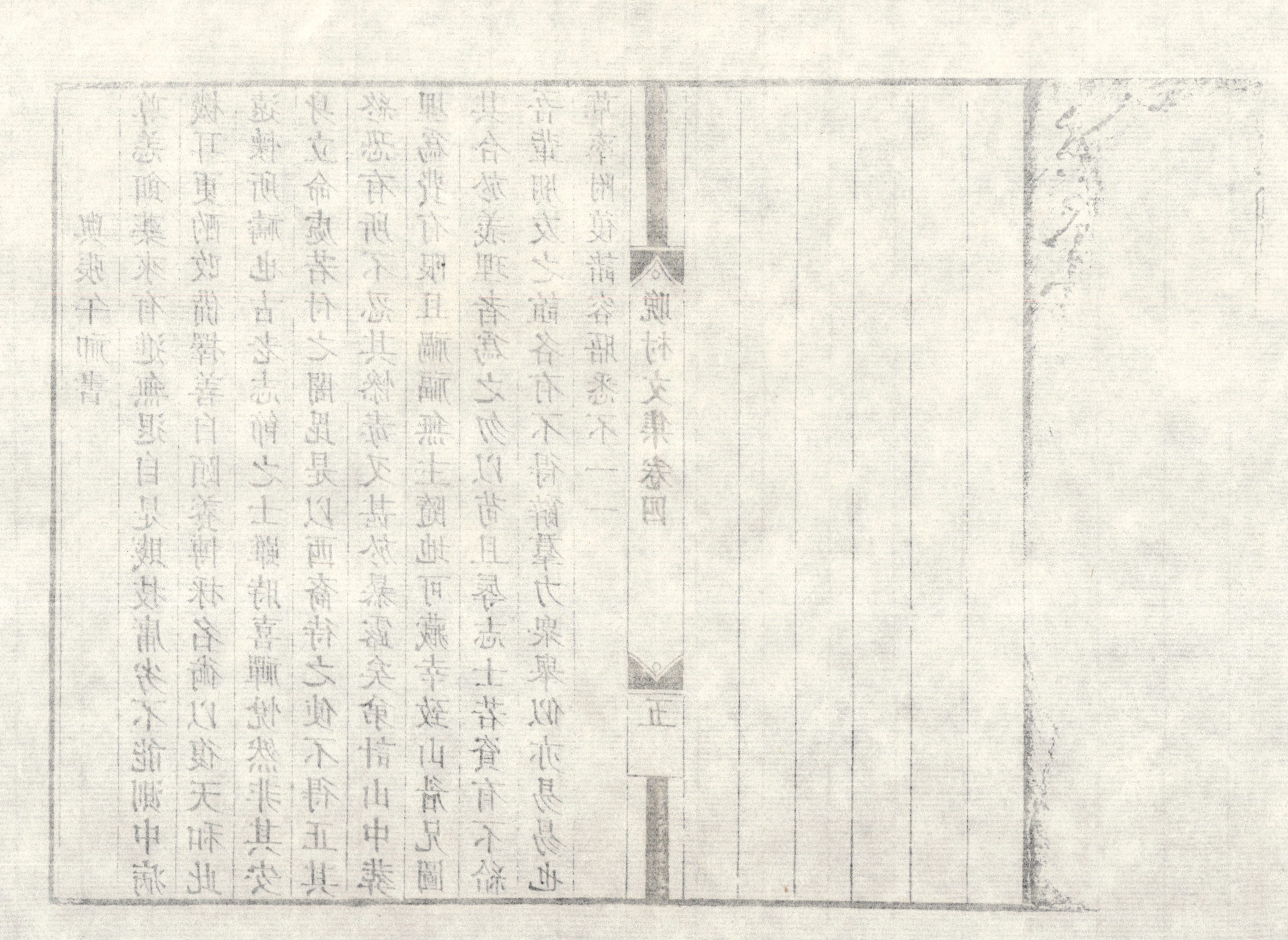

與何商隱書

違教幾兩載不免有伥伥之歎先生歷境雖困而其道益光正足以見識養之邃人之無良曾無與於先生者也若弟滿前刺觸動足成舋事皆由已不關他人其取困又與先生不同不審先生何以終教之乎春夏營搆山菴數間雖未盡落成而泉生室中峰當牖外澄潭可釣峭壁可登松徑竹林可以避客亦復欣然忘老弟苦空谷無音寂歷誰語安得晨夕高賢奉几杖以開蒙翳哉倘先生不棄荒昧秋間拏艇奉迎試憑眺其間可居可遊惟先生指趣所適得遂追隨之志固不勝大願也志雖所患當以温補收功自是正論弟其中次第宜先滋補而後議温或可以不温而愈若必至温則又進一步說也至其婚事竊以爲禮節易而居處難此須先生與渝老幾臣熟計長便弟無從籌畫僅可從諸公後少効涓埃之力耳志雖東來率復不盡

復苗采山劉素治書

兩兄奇才駿志崛起西陲又與家姊丈游熟聞雒閩之旨前歲遠辱惠書示以佳製開緘循讀光燄四射吳越善文之士未能或之先也天下將治氣自北而南今南風日靡而北有兩兄卓然自拔於方隅非將治之賴乎克兩兄之力詎止陵轢時賢以之入古作者之室固優爲之然弟之屬望於兩兄者抑又不在此也譬之賈焉覘市集之闕乏者而爭致之獲利十倍然猶庸賈也今之善其文以取華望者是也若擇市集之所賤棄者獨居焉是爲奇貨其售無期而利

不可量賈斯良矣今天下所羣棄而不取者何物乎此奇貨也兩兄亦有意耶弟老且病矣爲俗氛所苦薙髮入山與野僧柴漢爲侶不足與聞斯道惟兩兄勉之而已家刻二册小兒妄作二帙附呈記室用博一粲便郵附候不盡所云

與朱望子書

屢得甥字去年以書信附蘇州而郵客已行竟不得致怏然閲甥近文較昔條達知勤業不怠日有進詣可喜可慰第尚未能開拓境界不脫膚淺平實四字大都好通篇逗點無可抹亦無可圈也其病坐無意思故無曲摺生發今特寄與程墨一册金正希黄陶菴稿各一册吾兒竿木集一本其中金稿與竿木集尤爲吾甥對證之藥當細玩之家中尚有歸大僕唐荆川稿不以相寄因此等文字甥宜慢看不能得其精微高妙之故則徒益其膚淺平實而已爲甥計急

力闢生徑使心思别出乃有進處否則終無當也吾孱瘦增劇連年咯血今聲嘶痰嗽不止日就枯瘁加以塵埃嬰逼意益不堪遂削髮爲僧結茅埭溪之妙山苟延性命急欲完知言集及一二種要緊文字而精神已不支搦筆收拾不上家中子姪門人之文槩不能批看故甥文亦不及動筆也苗兒劉兄文甚佳北方有此神駿尤不易得愧殺南人矣觀其志趣亦不凡似不甘以時下自了者故以數言慫恿之暇間爲道斯意醫理難精以餬口之心爲醫更必不精其說甚長俟歸時面言可耳便信行遽不及多語惟善

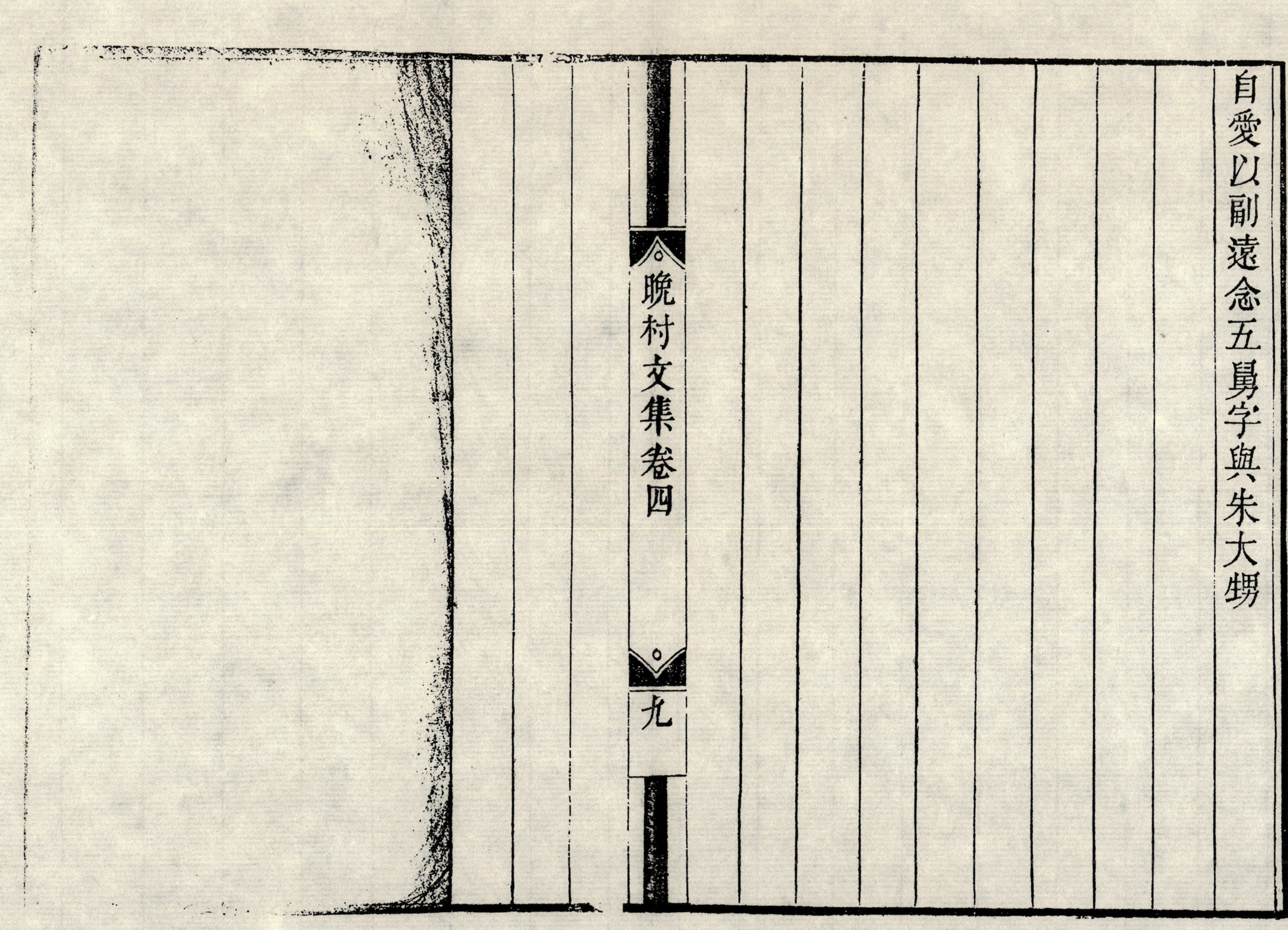

自愛以副遠念五舅字與朱大甥

自愛以副遠念五局字與朱大理

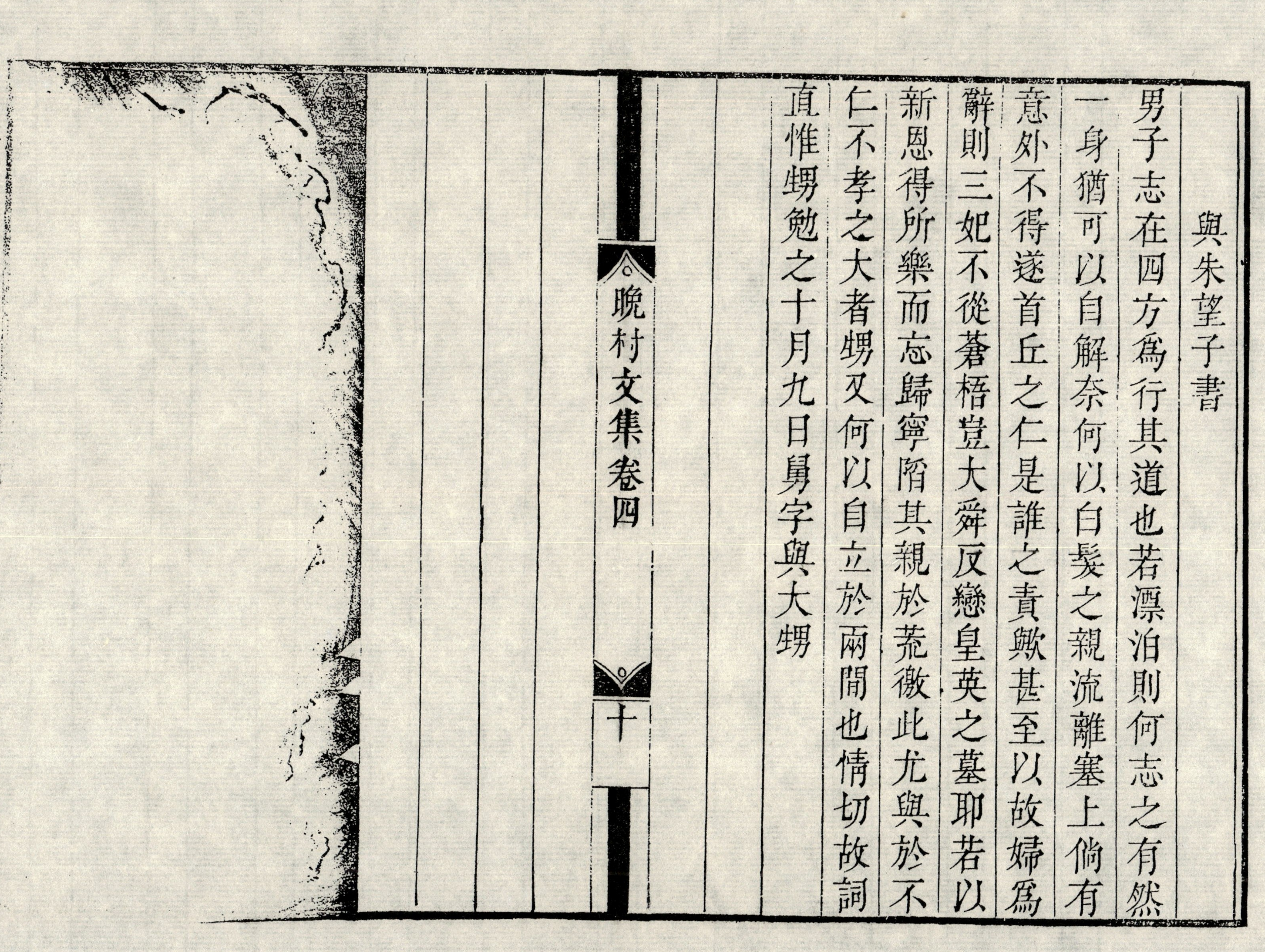

與朱望子書

男子志在四方爲行其道也若漂泊則何志之有然一身猶可以自解奈何以白髮之親流離塞上倘有意外不得遂首丘之仁是誰之責歟甚至以故婦爲辭則三妃不從蒼梧豈大舜反戀皇英之墓耶若以新恩得所樂而忘歸寧陷其親於荒徼此尤與於不仁不孝之大者甥又何以自立於兩間也情切故詞直惟甥勉之十月九日舅字與大甥

與董方白書

久不與賢者相對繫念無時形之夢寐得近札知以館穀北留較之奔馳此爲良矣若得閉戸讀書做些着實工夫爲益更不小只恐此中應酬世故又從而牧之耳此不必講義理只與論利害則作宦之危自不如處館之安宦資之不可必自不如館資之久而穩也惟幕館則必不可爲書館猶不失故吾一爲幕師即與本根斷絕吾見近來小有才者無不從事於此其名甚噪而所獲良厚然日趨於閃鑠變詐之途自以爲豪傑作用不知其心術人品至汙極下一總壞盡驕諂並行機械雜出眞小人之歸而今法之所稱光棍也究之所取亦東坍西漲有虛聲無實際歳月之間消落如故落得個終身狼藉耳其家人見錢財來易皆驕奢不務本業則又數世之害故不可爲也來札云長安富人肯爲捐納以其輸錢得官於心未安而止此固是矣然賢者見識於理尚隔一針在[redacted]而言以文以錢有以異乎無以異也若他人代爲捐納則雖[redacted]亦有所不可使其人即不望報我何義以處之如其不能不望報也則此官豈可爲乎辭受取予立身之根本足下不安於輸錢而反安於

他人之捐納此吾所謂差却一針也滾滾馬頭塵中自然無人物在裏亦不足較量但足下自能高着眼孔跕得脚住則所望於賢者不輕耳僕迂病日甚即邑里紛紛俱不欲相近看此世界中眞無一足把翫者惟殘書數種未了思後來歲月無幾將屏棄一切汲汲了此此僧家之打包者也但恨同志稀少無處商量向日張佩璁頗聰明細心有志向上欲引以爲助而天奪之遽邑中止一吳自牧天資過人近年德業日新以爲賴有此人而七月間又以疾暴亡看此氣象火候殊不佳顧影煢煢有口掛壁眞無生人之

樂矣不知天意欲何如數書又安能以一手一足成之也言之可悲可痛令弟文字甚長進志趣亦漸入高明第苦無定叠工夫打成片段耳嘉善柯寓匏到燕會相會否此兄質性極美有意於正業爲文亦高雅無俗韻華胄中絶少者只是門第習氣重世故深擺脫不得亦是無可奈何然素心奇賞此意時時不泯得閒即與商論想互有益也選文行世非僕本懷緣年來多費賴此粗給遂不能遽已其中議論去取未勉招人憎忌目下刻成墨評一部中多直抹批駁恐外間不無謡諑或別生是非故尚游移未出不知

當復如何幸爲我察之得早見裁示恃爲行止也冗次率率不備俟後再寄

壬辰科張君名丞祺者余極喜其文細實有本領聞其宦在燕中幸爲我一訪之得其全稿爲妙其墨卷鄉會俱不曾見欲讀尤切目下程墨完即料理知言集起矣凡明文不論房行社稿皆爲我留神訪之又湯若望有天文實用一書幸爲多方購求一部感甚甚又言

寄董方白柯寓匏書

正月入埭買得青山潭石壁一帶溪山幽峭樂而忘返留連者兩月昨始歸家見手札知近請加進不爲聲塵所動甚慰甚慰且有寓匏相講習喜可知也墨評之不宜寓匏别時見規正與足下言合感愛我之深鄙意竟庋閣不出矣臨奇來述時論有招致詩文之事頗有齒及者聞之不勝震悸區區本末足下所知也昔人所云不值半文者豈敢昧忘耶初與寓匏論文字曾及舊絶句一首正爲此耳此係某平生關目惟足下急與寓匏審察消弭之策知我只二公所

恃爲保護餘生者不小也激切激切餘悉載臣札中心緒惶擾諸不盡

答柯寓匏曹褧士書

使歸後甫畢塵事而小孫患痘殊劇旬日來未免憂懸忽忽無緒昨晡始有生意得力疾展讀坐此遲奭耿耿何如兩兄文各負奇偉寓匏天才駿逸迥絕塵姿多於醞藉中挺瀟洒不羈之致褧士風骨雄勁所向空濶一瞬千里不可捉搦不謂於文字頹澌時覩此異材又能閉戶相砥礪不屑稍近流俗只此雅懷已足千仞乃冲襟虛挹問不擇人村子瓌頋其中則皆君之所餘也又何以相益無已竊有所質兩兄之爲此文也其心有篤好爲文固當爾耶抑外間風旨乍更爲決科之利耶篤好以爲當爾則志定而氣堅必有進而無退不至於古人不止褧士文有云孤行無偶而不懼舉世非薄而不懟此見道之言也兄試自舉勘果不負斯語乎若猶未也則決科之意急而爲風氣所拘也風氣有何定一律要倡論於上朝行矣升沉局幻暮復變焉爲文而由此則志惑而氣躁庸流乍撼之不動也數鉅公沮之稍動矣數名宿引之又動矣或得或失誘之挫之則大動而不能自主矣出門抱行卷自以爲逢時數十日抵郊衢聞時尚又不爾回惑失措則今日所爲安知非他日所悔乎

文由心生心正則文正心亂則文亂此不可不辨也某之論文亦止如此未嘗期其書之必行世世之從吾言也適與時論相湊謂其功足變風氣爲近日選家之勝此某之所深恥而痛恨者也但使舉世噪罵取以覆瓿黏壁錮其流傳信從如蘇氏烏臺案朱門僞學禁莫不拒絶遠避而有人焉獨以爲不可不業此此則某之論文果有功而其不止於文者亦髣髴盡出矣兩兄於此得毋猶有所疑乎前在金陵有時貴相識者欲某定其房稿會有絶句云自古相知心最難頭皮斷送肯重還故人今有程文海莫便催歸謝疊山此心言也兩兄深知此意至燕市絶不齒及若有問者第云衰病事事頹廢更無足道者則知我愛我之至也

寄柯寓匏書

相晤輙遽別恨無旬月之留從容商論今復有此壯遊一摩青雲便與枋榆睽隔即行止亦不得自由正不知相見何時也僕杜門掃迹心知最稀自辱交以來每嘆兄冲襟摯性曠才嗜古近世所不多見甚思合并共事所欲期於相成者頗鉅借雲泥勢阻更不勝悵惘耳所教孫言之戒非愛我之至安得聞此敢不書之几牖以自警僕自計生平未嘗開堂說法亦未嘗與人往復爭辨比來謝病不對客對客亦不敢談及此事惟是時文批評中酒酣耳熱未免放言見所聞其由此乎抑別有爲乎幸明示之以便省改也十二科墨選中多直抹以此遲疑未出今承教自當庋置亦幸知之早也燕市見惡者不少望時爲察之有聞即客示爲囑大兒金陵初歸課義尚不廢名山業未曾見拜惠謝謝四方交游間幸不忘蒐討之囑至禱至禱凍石因視兼山未到故不會動筆此必須兼山奏刀方不失筆意俟其來即與合作奉至宅上但不知宅上須授何人燕中寓在何所俱望示知便於寄札也武功錄前本先附璧提綱尚欲一閱他日馳納閩茶毫筆件緘爲舟中消暑一笑率復不盡

寄柯寓匏書

久不得書信正切懸念接手教甚慰降辱餘年不欲掛齒親友皆却之尊惠遠須不獲返納破例登受愧謝愧謝某病甚矣血脉脊亂神志改常每一觸發即忿戾肆突亦自知其不祥然不能自制此不治症也紅塵澒洞譽震林莽憂惶悸慄病益增劇自念麋鹿之性久與世不相入固知死安於生脩不如短所依違沽戀者惟耿耿舊聞孤危無寄思收羅散軼考正其是非編就數書質之後世子雲庶幾無負此生而已而看此火色造物似不相容前有字寄方白囑致

足下冀知己保護之得了前件耳然天下事每出意料之外或非人力所及此即命也豈可逃乎來札云歲前有所聞不知何事燾士云恐知之不能相忘此猶是相知未深語凡謗必有所由來定非無根者或我實有過而陷於不知或彼言雖浮其實而自處原有未盡即竟屬空中樓閣而我之所以致彼憎者亦必有其端正好藉以自察若聞言生恚但咎人誣不責已過此俗情之所同稍知爲已者决不如此文穆不欲知姓名乃大臣含容之量非儒者克治之義也然某尚疑文穆此語亦是黄老之學并不是古大臣

含容眞量如其言倘一知姓名卽終身不忘其胸中亦隘甚矣天下安得如許不見不聞者以全大臣度量耶此等見識横於胸臆名爲黄老實不免於鄉原流俗之歸陰私忮刻潛隱竊發其患有不可勝言者吾輩講究正要打破此箇病根庶幾有進脚處耳足下天性粹美志趣超然雖處風塵知不爲習俗所移第患於是非眞妄界頭或未能一劍兩截討個決斷分明則未免頭出頭没久之亦恐把握不住耳率意妄揣不知賢者以爲何如得便幸勿吝往復正好商量也兹因敝親魏方公兄之便匆匆附此見方白幸卽示之有信與橤士均覔以此意未必無所攻錯也手顫不能細字囑兒子籓白不盡某頓首

與柯寓匏書

把别忽已經年某衰病侵尋嘔血不已而塵壒坌集去除不能遂於夏間削頂爲僧自名耐可號曰何求更字不昧行徑如是想足下聞之不直一笑也帶水睽隔令祖母之變絶不相聞有失奉慰歉然歉然足下天性粹美氣宇渾厚自是遠器第向來習染深錮不易解脱未免擔閣耳今乃於讀禮静處奮然發學道之志可敬可喜所謂近世學者患在直求上達此總是好名務外徒資口耳於身心實無所得至目前紛紛則又以之欺世盜名取貨賄營進取更不足論

也要之真欲爲此學須是立志得盡下手便做不但求辨説之長始得從上聖賢道理已説得詳盡又得程朱發揮辨决已明白無疑今人只是不肯依他做故又别出新奇翻案耳所謂至簡至當豈有外於四書五經者只是做時文人看去只作時文用爲詩古文者看去只作詩古文用若學道人看去便句句是精微正當道理更何經書之有哉第程朱之要必以小學近思錄二書爲本從此入手以求四書五經之指歸於聖賢路脈必無差處若欲别求高妙之説則非吾之所知矣要之此事須面談非筆墨所能達也

明史提綱從未卒業不詳其書得失向見范滽川拳
龍子集及所論曆法奏疏知是讀書博辨之人疑其
書必有異故留此欲待稍暇今承索取附使奉還他
時有遺力及史事尚冀借看也學蔀通辨取歸復爲
他友借去近聞平湖顧蒼巖已刻板印行則購求亦
甚易耳又荷珍惠深愧何以當此感謝感謝使者遽
旋草草未盡俟晤言不一

與吳玉章書

山中遽歸惟慮後期爽訂抵舍不見信息知非吉徵不謂果罹大故思惟至性崩摧何以堪此又聞有傷體之事不禁爽然伏念數年相與且謬有師弟之稱自恨平時不能指陳正道推明禮意足下聰明果毅必奮然以聖賢之孝道爲歸不至毀性滅義不以禮事其親如此此非足下之過而某之罪也夫復何言夫人子於親苟可以致心竭力於踵頂豈有愛焉然古來稱至孝者帝王中無如虞舜賢士中無如曾輿矣乃一則父置之死而不死一則慎保手足而無敢

傷思此一聖一賢於父母病革時豈於身有所惜於心有所未盡於此事有所不能以遺後人以突過哉亦以止於孝之道有所不可也禮於居喪瘠毀尚比不慈不孝故衰麻有期哭踊有節若任心行之以不孝爲孝亦復何所不至近世不明禮義刲股斷臂之事紛紛多有正人君子亦嘗深論其非而流俗溺惑錮不可解然猶多出於無知之氓正賴讀聖賢書如玉章者有以救正之耳奈何不務法虞舜曾輿之事親而下效愚夫愚婦之所爲豈愚夫愚婦之爲反有加於虞曾者耶今玉章此舉震動顚蒙流俗無知轉

相傳誦惑世誣民爲害非細四方有道之士必指其
而斥之曰夫夫也固嘗與之遊矣其爲邪說然耶其
告之不忠耶其亦誠無所辭獨負疚無分毫之益於
足下�然以師道自居真愧悔難安耳成事不說今
復何言惟足下勉自愛率慰不具

與吳玉章第一書

與足下交數年矣足下固執謙節初不得辭然嘗自疑以爲其趨不一終不能有益於足下必成兩悔時杌杌不自安今乃漸覺其果信也昨自山中歸獨不見足下面會文字問之舍姪云足下先數日過舍至期不作文而去强之不可且與舍姪言大約謂諸子皆游藝已不欲游藝者故不爲其立說甚高再則曰卽爲之必不能勝諸子故不爲其說又益下然高與下總不足論卽作文不作文猶小節耳獨以足下之病在心者深錮其本指與某相背謬故不得不一直

告也凡某之欲諸友爲文非以希世獵名爭區區詞章之末也人之樂有師友蘄明此理而已理之明不明何從辨必於語言文字乎辨之知其所明者若何未明者若何而後得効其講習討論之力故曰君子以文會友以友輔仁旣曰輔仁弟須於仁乎取之何事於文哉蓋言者心之聲也字者心之畫也心有蔽疾隱微必形於語言文字故語言文字皆心也惟告子自信其心不復求義理之是非分內外爲二故云不得於言勿求於心而孟子直闢以爲不可而自舉其所學曰我知言今觀孟子之語言文字何如也斯

豈亦游藝所得耶且吾所欲爲文非藝也論語之所爲藝注曰禮樂之文射藝書數之法文者指其儀節言法者指其技術言若禮樂之本射藝書數之理之所以然則亦非藝之可名矣故朱子特注文法二字乃所謂末也然且學者必須游習以博其趣是則吾道無內外精粗之可分也益明矣況以程朱之說上求孔曾思孟之指能體會其義而發明焉則爲佳文不則相與辯駁極盡以期有合此亦格致之一道也奈何以藝之一字抹摋之哉足下謂諸子皆游藝盍識諸子之不志道據德依仁也諸子於存心力行之

功誠有所未逮然從此見理日明其後亦未可量前在山中觀足下所爲文愛其筆力夭矯曲盤固亦未嘗不能文也特於義理有未然故抑摘其謬誤以相告是足下工夫所少正於志據依處有不的耳其所以不的正於文字義理不精察則志非所志據非所據依非所依耳病在是而不思治虧欠在是而不求益悍然以爲吾自有所得烏用是是病者日益病而虧欠者日益虧欠以至於消亡也且足下自謂於存心力行根本有實得乎則其語默作止之間必人皆得而驗之即以今會業一事而言若果不願爲則當

辭之於早先期來矣及會而渝可謂誠乎晨訂而午變言詞閃鑠不可謂信以師命而赴不致告而避不可謂敬衆友羣集卽不作文亦當終事而散倏忽逃會可謂無禮如藝必勝人而後游則古今之能游者寡矣不勝人卽不游謂好學者如是乎已則不能而徼譏他人務以求異求勝是不謙讓也辭氣悻悻岸而不顧是躁戾而失養也凡此數者未病乎抑本病也不力行之故乎抑不求知之故也然則足下之存心力行與所謂志道據德依仁者果安在而欲以之傲人勝人哉諸友平昔亦以足下瓌異之材果毅之質流俗希有嘗與某私相歎跂以爲追琢有成必非凡近所及故箴規過於切直者有之足下槩不爲已虛受一擊不中輒思幡然颺棄壹何自待之淺隘也子路人告以有過則喜故曰百世之師今旣不能喜矣又加憤焉其志氣相去幾千萬里更何以造舜禹之域耶抑會文之事實出於某非諸友私集也其欲諸友材質高下者皆講習討論於其中以求義理之歸蓋某與天下爭學術是非之界正在此今足下自以本心力行爲得而不欲從事於文義其本指正與某相反然則足下之所非不在諸友而在某之立說

不可不明爾若旣可拈題抒寫則窗下與會課何異論語曰君子以文會友易曰麗澤兌君子以朋友講習禮曰相觀而善謂之摩古之學者皆以聚友論文爲樂未有閉戸私搆乃爲有得者也又謂會課卽角勝起悅人耳目之心必至專詞章而離道德仁此更大謬不然昔朱子論試士比較之非謂其有黜陟進退以利誘人也程子譏爲文悅人耳目爲其以詞章求媚於世者也若師友相聚爲講習義理之文初無利誘亦非求媚卽曰角勝角是非精粗耳卽曰悅人悅師友耳又何患乎專詞章而離道德仁果其專辭

章而離道德仁將角必不勝而師友之耳目亦必不悅矣孔子曰當仁不讓於師不讓於師角勝之大過則將仁不可任乎孟子曰令聞廣譽施於身不願人之文繡聞譽者悅人之所致則將德不可飽乎會課之角勝悅人亦如是而已足下何厭惡之甚乎惟足下欲速好勝之意一作文卽欲使友朋歎服而莫之指摘此正角勝求悅人之隱根雖日處窗下拈寫而此病益深不必會課而後有也至於變化氣質涵養性情此是適道以上事足下頭路未淸見解未的方在未可共學中何言之倨也凡某之爲此言者非欲

足下之强順吾說而從事時文也止欲足下通文義以明理明理以去本心之蔽而已乃足下嘵嘵徒辨其未嘗非師譏友而初不辭其非之譏之之實皆坐不通文義不明吾說之所指也今亦不須復辨足下但取聖賢之書虛心玩味先通其文義而漸求其理之所歸不必作時文有所見即作古文論說亦得或作講義或作書牘亦得此豈復有角勝悅人專詞章而離道德仁之患乎若文義未通而曰吾以性命自負道德自企此又諺所謂未學爬先學走者也世間或有此法而某實不知足下自信甚堅則亦求其能

助足下者而問之可耳某自揣非其人誠不敢擔閣足下時日他日足下遇其師片言了悟乃嘆爲此腐儒枉費許時工夫遲我蚤聞道則某罪豈可逭哉因大始歸便附此數言幷足下前書批去惟足下察之

與董載臣書

屢欲草數字以行人促迫而止然未嘗不念及足下也僕在此只得書集多種爲快所遇人物大約世情中汩没多少好才質最上不過志在記誦辭章而已都會雜沓誠然無人誠足壞人張先生所慮同流合汙身名俱辱其言固自不刋但學者自問何如正要此間試驗得過鴨子使繩縛止爲庸人說法也濟不得事吾不解抱不哭孩兒寧遭簡點此意無從告訴但歎息知人之難耳不審足下又何以益我也漢園之變令人悲悼其人雖粗然下梢展拓得開不入鬼

窟活計惜哉今不可復得矣足下學醫張先生亦甚憂然僕知尊公深此未可以口舌爭且學道而先違親意亦無此理學奈何奈何兒輩失所依託令我茫然失措又不審足下能爲我轉計否匆次草草

與陳大始書

玉章前會不作文遽去以不欲游藝立說甚可怪察其意大約褊隘不虛心欲速不求益而姑以云云自文耳然已是心術有病若認真以爲游藝不當爲則病在學術悖繆更不可藥矣不得已作一字與之足下取看以爲何如初八日僕村莊自值會足下先日須至玉章來否聽之勿强也吾所辨在此理此心是非耳非有私慽正不必謬爲謝過之舉也

答祝兼山書

初謂相聚正久故未罄鄙私不意事違其願接手札殊悵然也然受徒講習自是儒者正業且舅甥叔姪相叙一堂眞人倫樂事正不必以離羣爲恨耳况論說之餘研閱方書原可並行不悖第過承謙抑自顧所得淺陋無以裨益高深輙自慙也張叔承六要一書本末兼該條理不紊不可不看其中病機治法二要尤爲精詳可守若齋中未備此書不妨遣人來取寒食左右鼓峰先生必至此時望過舍數日定有聞見之益醫雖小道非於理學明於世機淺不能精也有便信時寄聞問以慰遠懷候晤不久不多及

與馬牋侯書

立夫之病止是闇於義理而鄙於利欲吾固嘗言之不深責其欺也然朋友之道所重在信苟其爽信是卽欺也乃曰其迹似欺若其心本無他者譬之跌宕於倡樓而謂信足至此實無邪心人其諒之乎且立夫之爽信在返關之時已屬無解其後益甚耳大麻之館本非大始所求亦非吾爲立夫計也立夫自因失血急欲賜我來謀近地之館吾以語大始大始甚喜而定關然吾固知立夫闇鄙未必無中變猶未之致也立夫入省又屢遣信來問館事成否何如然後信而與之未幾乃忽來返關則治病之慮寬而計較利便之私起矣今觀其字謂冬間至省如久歷波濤一朝登岸不勝愉快可知其始終本無意於此地師友之樂也前之求館爲病亟不得已耳病之旣愈館於何有然而紿師矣負友矣當此之時已難免於欺之一字矣況又有後案乎卽明年在家之說亦立夫自覺不安而計出此吾未嘗督之也然而許我矣而又倍之爽德再矣又何必托名在家實有其心而後謂之欺也季冬廿一日之後正月初十日之前曾不遣尺一謀之師友而卽安於杭是立夫之所欲也又

何云不欺哉然而其欺也實生於鄙而其鄙也實由於闇闇且鄙則固有已欺而不自知其欺者矣則雖謂之非欺亦可耳吾前在杭不意其在彼突如相見不免棖觸自念相與八年曾無分毫之益於立夫而使其顛倒至此又在家之說吾已徧告人人今實無以謝友朋更無以對大始吾之局蹐更甚於立夫故但有黯然無緒而已非震怒也大始能無毫髮之憾吾甚服之況立夫於我從無愆尤又何罪責之有從此求明義利而克改之在立夫已事耳五月之來且姑緩之待吾慚之漸忘也便中即以此意告之

與仰問渡書

昨載臣來致足下傳示沈孟澤督過之言不覺聞之驚歎雖夢寐之中亦不料及此已矣可勿復言然恐足下諸友有未悉者故聊白其概僕與孟澤向曾同社交本不深故孟澤原未嘗知僕僕亦不敢自居爲孟澤之知己也即孟澤之醫初得之於宋稗圭及鼓峰至邑遂棄其學而學焉鼓峰既歿孟澤乃不惜下問僕雖無知亦不敢不盡其誠數年以來孟澤之道日行然皆具才能自足以收之僕自問曾無涓埃之益於孟澤故亦未嘗敢竊以爲己功也況僕自村居避迹惟恐問醫者之至堅辭曲遯至於發憤此自性所不能志所不欲亦非外飾以爲高凡有問者必舉孟澤以對此足下之所知也然則今日之云云又何爲乎我知之矣孟澤譽望日隆其體不可復詘其勢不可復受直言以自貶也思目前所不達時務而仍爲直言者計惟僕一人所謂寧逢惡賓無逢故人耳然僕自計之終不能復事孟澤矣僕之平生惟有一直謂僕借私以訾毀雖他人不相與者未嘗爲之況孟澤乎若欲僕曲徇標榜昧其是非之理唯阿諛是從亦素所不能也昔金碧安有云用晦待我甚厚感

之不忘然其不堪處必將甘心焉僕之所遇大約如此亦其戇闇所自取不敢以是怨他人也古之假道學有言我日斯邁而月斯征各尊所聞各行所知無復望其必合也若孟澤更語及幸舉以復之手瘡初愈未能握筆口授兒子奉白某頓首

呂晚村先生文集卷四終

序　論文

周易口義後序

昔朱子於詩傳自以爲無復遺憾而於易本義則意有不甚滿者趙子欽寓書朱子謂說語孟極詳說易則太略朱子曰譬之燭籠添一條骨子則障一路光明若能盡去其障使統體光明豈不更好耶由是窺朱子之意則本義一書爲先儒說理太多終翻窠臼未盡其所不甚滿者此也自制科頒教易遵本義經生行文嫌本義之略而無所依傍於是開入程傳然

猶未離乎先賢之說也至講章叢出則又拉雜諸家穿鑿附會之說而加之以俗陋之已意學者喜其依傍而可以餖飣也則益蔓衍而不知所返如近日坊本其說尤鄙劣而時之以易名家者無不宗以爲傳上非是不以取下非是不以應名奉典制實則離考亭而畔本義者也蓋朱子之意主於簡而今則惟恐其說之少朱子以易爲包含活括而今則一以硬裝死著朱子之大旨在象占而今則以象占爲駢疣此其所以離且畔也惟程子亦云三百八十四爻不可只作三百八十四解今則并無三百八十四用矣此

不特畔本義并畔程傳也吾師五宜先生玩索於此者三十餘年探窟躡根與二三子朝夕論說手抄舌膽雖時講細曲亦爬羅補苴以收其一得久之成口義一書遠依雲峰之通釋近函虛齋之蒙引次崖之存疑同爲本義之臣翼淵明所謂汲汲魯中叟彌縫使其淳者也某從游最久近復與先生之從子鈺有子女之屬同梓是書以發蒙斯世因請刊落羣言獨存本解以傳考亭之精意先生曰吾救時世之妄耳非詮本義也本義則朱子且以爲多而吾更爲之增其籠燭乎且今之說易非以求易求行易之文耳文

雖多而易欲簡其勢逆而難從吾故就其說而薙焉朱子自謂於諸家之說只就語脈略牽過此意惟吾口義亦於時說牽過而已若夫朱子之所不甚滿者而吾能滿之乎爾其爲我序之某竊懼闇鈍不足以敷張師意因次述所聞以識于後庶幾離畔者知所返焉門人呂某謹序

西法曆志序

洪武初大將軍徐達等平元都收其圖籍經傳子史凡若千萬卷輦至京師藏書府嘗名儒臣進講以資至治間有西域書數百冊文殊字異無能解者十五年秋九月癸亥上御奉天門諭史臣李翀吳宗伯曰天道幽微垂象示人人君體行之成治功古帝王仰觀俯察以修人事育萬物文籍以興彝倫攸叙邇來西域陰陽家推測天象至精密有驗其緯度之法又中國所未備其有關於天人甚大宜譯其書以時披閱庶幾觀象可以省躬脩德思患預防順天意立民

命焉遂召欽天監靈臺郎海達兒阿荅兀丁回回大師馬沙亦黑馬哈麻咸至於廷出所藏天文陰陽曆象書命次第譯之曰爾西域人素習本音通華語其口以授儒爾儒譯其義緝成文焉毋藻繪毋忽越明年二月書成凡曆法經緯表度三卷載在掌故然以翻譯未廣且不詳其論說以故一時詞臣曆師無能參用以入大統者夫載籍所傳天地陰陽變化之故日月星辰之運行寒暑晝夜之代序與人事爲吉凶與物理爲消長義弘衍矣然至理精微充塞宇宙固未嘗以華夷間也中葉星曆諸臣以舊法未合天行

求改正萬曆中遂有脩曆譯書分曹治事之議使分曹各治事畢而止大統不能自異於前西法又未可爲我用猶二百年來分科推步之故已懷宗究知其然命禮臣督改之勅廣集衆長兼收西法凡譯書一百四十卷皆西法也時中外多故未及會通以頒布澥宇以繼述高皇帝遺意而京師變陷矣豈遠裔絶學其得行于九夏亦遇合有時不可測歟不然以聖哲之主前後譯撰而卒不得用何成之難也一代鉅典未能備衆美成大法遐方藝術之奇又不克見正於聖作儒臣守理而不知數曆家執成法而不知變化消息之道天經乖舛彝倫攸斁豈非天哉

文雅社約序

文雅社約者歸德沈文端公之所作也其約始於家門及乎里黨大趣多返樸崇儉斟槩近俗存古之意嘗考是書之作歸德方爲秩宗不數年遂執政當得志可爲何不釐舉制度脩明文章移易海內之風俗而還之古而顧踽踽凉凉獨與二三鄉友相率爲會如雒陽九老故事以爲盛舉何其畀也意其時鵰聲北飛樹私竊柄歸德雖與之同列豈鬱鬱枋梲不能獨有所建豎是以爲政六年而遂老歟然則爲是書者將毋志有所未逮其亦有不慊於中者歟孔子曰

吾猶及史之闕文也有馬者借人乘之今亡矣夫風俗之變如江河之日趨而下也今去歸德又七十餘載矣視歸德所歎息更有甚焉者夫陳俎而作聖基祭野而淪陷應禮之得失關乎運數其幾豈不在微乎歸德慮之早矣使是書而行於吾鄉則俗盡變而吾鄉獨不變也行於吾家則吾鄉盡變而吾家獨不變也竊以爲歸德相業之餘烈於斯而見矣會讀書者亦論其世焉可也許子開雍雅志好禮緦然憂流俗之頹敗而不知底也亟刻是書而問序於余其裨益於世道人心非尠也故樂而爲之序

古處齋集序

竊嘗謂三百年來詩文無作者或曰是有故乎曰有病坐制舉業罪至此乎曰舉業無罪焉學舉業者爲之也人之知識如果核之有仁而草木之有荄也枝榦花葉形色臭味天性具足雖姸醜萬態莫不各有其生趣在焉澤之以水露治之以器鐵厚之以垢壤蒔壅不拂其性光華爛然反是雖天性具焉而生趣萎瘁矣朽株敗腐蒸出芝菌非朽敗之能爲芝菌也養之者厚也剪綵而綴之一枝之間而四時之花具然而人不加賞者其生趣絕其性非也今爲舉業者

皆有俗格以限之循是者曰中墨稍異則否雖有異人之性必折之使就格而其爲法則一之曰套取貴人已售之文句抄而篇襲焉無隻字之非套也以是而往試輒售其爲力省其見效速父以是傳師以是教則靡然從矣夫人之知識必有所緣而生而手筆隨之生久益熟熟乃成性則不可復易也唐康崑崙琵琶爲長安聲樂第一而屈於段師善本德宗令段師授康段曰遣崑崙不近樂器十餘年使忘其本領然後可教耳套也者三百年來文人之本領也以此掇科目獵榮譽爲仕進捷徑蓋平生得力之處雖魂

醉出手指爭勝負爲歡笑或竟醉臥齋榻不返者累日嘗酒酣解衣脫幘狂論迅發座客皆愕眙相顧先生獨不怪也曰是真可與語因出古處齋集稿一卷曰試爲我訂定之退而卒業則天然爛熳不假粉飾而鏤肝琢腎窅窅離離無所不有然又不可摘謂某首似某某句調似某也乃大驚曰是豈舉業家所得者先生笑曰吾爲舉業亦未嘗解套人一字此真不拂其性生趣爛然者矣因自信病坐舉業舉業無罪之說於是乎益堅然君且不以爲足誦讀徹昏曉嚮達行路雖凝寒溽暑不閒也所手抄古今書等身者

三四不知其志願何青嘗問黃太冲浙以西人稱多慧而學者每出南岸何也太冲曰浙西之材未十歲許便能操觚文與年進至三十許而止自是以後則與年俱退亦如進故日就銷落吾地人差樸然三十後正讀書始耳時竊震其言今先生挺不世之才無俗學本領之累著作益上而且益厚其養如此所云根茂者實遂膏沃者光曄將爲玉樹琪枝丹葩瑤草非人間恒有又安可以常理測識哉若某蒲柳之質向未嘗有所進取今又不自力學行年三十有四矣與年俱退日就銷落誠如所言殆不自知其稅駕也

夢間不能自忘也且身既貴顯職在清華或素有文字名諛客日進輦金帛乞數言爲光寵幸載名字彼方哆然談文章論得失義不可辭曰未嘗學也又不可下問則悍然爲之於是始作詩古文辭則又不知古人爲學之法即有告之曰是當多讀書深養氣如柳子厚所謂取道之原旁推交通以爲之者彼將曰是老死具也爲力省見效速吾故用吾法耳試以爲古文則儼然周秦兩漢六朝唐宋矣以爲詩則儼然漢魏晉宋齊梁全唐矣凡此皆可以套得之則又就其中擇其名之最盛而易飾者套焉文則必周秦漢

也詩則必漢魏盛唐也立說既高附和尤捷流至今日其焰益張雖高人名士禪客女子無不翕然論體格擬聲調作煙火臺閣塵土酒肉語云是正宗遂牢不可破此無他天下庸夫多而有志於學者寡惟此可不讀書而能也若曹固不足道弘正嘉隆之閒名公迭起得斯道之正者凡數大家幾入韓歐之室矣然以語神明變化有難言者則猶本領之未忘舉業之累於斯乃見耳吾師陳湘殷先生性清眞古淡與世接無畦町兄柳津弟有上紫綺各負才致遂居湫解眞率如一人每置酒輒見名亦時枉敝廬呼酒命

雖天性具在而生趣萎瘁行蹈先聖不秀不實之歎

讀古處齋詩文三復太冲斯語能不瞿然悔懼歟

讀古處齋詩文三復太冲斯語能不瞿然悔懼與
雖天性具在而生澀裝綷行蹈先輩不秀不實之歎

櫟園焚餘序

吾友吳孟舉歸自燕亟稱周雪客之賢也余至金陵因見之則孟舉之言信相得歡甚雪客泫然出其翁櫟園詩文曰先子於喪亂顛躓之後舉平生所作畀之東炬此其流傳於知交而某收羅得之者也故名曰焚餘而吾子試序焉余謝不敏不能序大人先生文也雪客曰固知子雖然以某故也必序之余受讀而歎曰子知而翁之所以焚乎知其焚而存之是也不知則益之焚也亦如其不存坐客咸起曰何謂也曰古之人自焚其書者多矣有學高屢變自薄其少

作者有臨殁始悔不及爲謂此不足以成名而去之者有刺促恐遺禍而滅者有惑于二氏之說以文字爲障業者有論古過苛不敢自留敗闕者甚則有侮叛聖賢狂詩無忌自知不容於名教故奇其跡以駭俗而自文陋者其焚同而所以焚不同也今櫟園舉前後悉焚之未始以昔爲非也焚之後又未始不復作也其書又不觸忌諱不墮魔外屬屬焉以古之作者爲歸然則櫟園之所以焚又必有不同於古人者矣嗟乎櫟園以卓犖跌蕩之材夙負令譽天閑之上駟羣龍之腹尾也中州南國水萎土附揖元禮於舟

中醉正平於座上望者以爲神仙不測其所届也忽焉天地震盪刼灰晝飛猿鶴蟲沙萎黄類化涙平痛定一時同學壓有存者宇内屈指櫟園巋然其一也雪樓草廬豈異人任廼天下方乞膏馥于櫟園櫟園且取而煨燼之何歟兎園糞溲重自珍戀猶什襲繅藉况著作如櫟園非有所大不堪於中而然歟余是以惜其書不如悲其志也豪士壯年抱奇抗俗其氣方極盛視天下事無不可爲千里始驟不受勒於跬步隱忍遷就思有所建立比之腐儒鈍漢以布紟終殮村牖固夷然不屑也及日暮塗歧出狂濤險穴之

餘精銷實落回顧壯心汔無一展有不如腐儒村牖之俯仰自得者吐之雖爲聲茹之難爲情極情與聲放之乎無生彼方思早焚其身之爲快而况於詩文乎哉然則從其焚而焚之乎又不然焚者志也其不可焚者書也知其焚又知其不可焚使他日不自焚以得櫟園之所以焚是在雪客而已南陽村白衣人

序

壽暢樓詩稿序

孟舉之詩神骨清逸而有光艶着語驚人讀者每目瞤而心蕩如覩閬立本李伯時畫天神仙官旌旟劍佩驂駕之飾震慴爲非世有然不敢有所嗜願爲非其類也凡爲詩文者其初必卓犖崖異繼而騰趠絢爛數變而不可捉搦久之刋落愈老愈精自然而成今孟舉方當卓犖崖異與騰趠絢爛之間固宜其驚人如此所謂小稱意則人小怪大稱意則人大怪孟舉正須問其稱意何如昔人耳人知我而驚不知我亦驚直不可以此介意也桓譚侯芭不足以知楊雄而待韓愈知之李翺　皇甫湜不足以知韓愈而待歐陽脩知之若李白杜甫之詩則又近自甫時之韓愈知之宋人因而師承焉今人又未之知也然則唯作者而後能知作者自古爲然而作者之出也或骿肩而生或數百年一二千年而生吾同時無其人則必待之數百年一二千年而後生焉足以竭吾之長而攻吾之短此眞吾之所懸異而托命者也目前紛紛廣座長麈拈黑道白如土蠓野馬其不足與于斯也明矣而今人祇筆蘸墨方以此曹之喜憎爲是非所謂未有長卿一句賓王一字而罵阮籍爲老兵

宋玉爲罪人殊可劇嘆也歸有光目王世貞爲妄庸巨子世貞曰妄則有之庸則未也有光曰未有妄而不庸者歸之文至今可傳以其意中能無此巨子也今天下之巨子其出世貞下又不知幾何使吾之所爲爲其所稱嘆則必爲古與後之作者所嗤詈矣爲其所疑詫則必爲古與後之作者所抉擿矣爲其所屏棄不復置目然後必爲古與後之作者所咲覸目逆耳今孟舉雖不爲所喜而猶爲所驚怪其于作者尚未知何如也然孟舉進方鋭將數變而不可捉搦以底於成則其驚怪益甚其爲屏棄不復置目終所

必至顧在孟舉能卒不以此曹介意否耳陸務觀曰外物不移方是學俗人猶愛未爲詩余愛誦此句輙自咎平生言距陽明而熟于用處不事撿束正坐陽明無忌憚之病爲詩恨僞盛唐而未離聲律兩騎夾帶猶爲所牽挽思欲坐進古人所待于後甚遠不汲汲有求于今世者心知其甚難然不敢不與孟舉同厲之也

秋崕族兄六十壽序

辛丑三月予過虞山紅荳村莊蒙叟先生時八十辰在重九之後請以數言壽先生先生曰子休矣壽余者無過以吾家彭祖爲徵子知吾祖以雉羹饗帝啟封彭城而不知其遭厲幽之禍流離西戎百有餘年若此之播越也且鴻水滔天憂墊溺焉十日並出憂燒灼焉九嬰封豨窫窳檮杌之徒憂跋扈抵突焉雖其受壽永多然八百年內享升平歌暇豫軒眉皤腹開口而笑者固無幾也此漆園後生睥睨寅靈笑我祖之以久特聞者而子謂我願之乎予謝曰誠如先

生言此非上壽時願先生力自愛以副宇內望歸不數日而得姚江族兄秋崖書麗以乞言小引荅秋崖兄今年甲子周辰亦在重九後東國名鉅無不搆詩文爲祝者而吾兄意未當也又走書數百里命細子豈頌禱揚美之辭猶有所未備歟繇虞山之說推之壽錢氏者之必以彭城亦猶壽吾家者之必以蒲州也蒲州當武宗之時兩舉進士不第潦倒驢背間已得度世術匕刀圭餌丹藥鍊精葆神至于今不化隱見湘潭岳鄂汴淮吳越之墟言長生家必以爲宗然吾數其後未四十年遘金統之難區宇糜爛又五十

餘年而陰山微種開門揖盜燕雲以南無復人理數不半百五朝八姓十主自生民以來未有若斯之酷也宋德[redacted]長東罷于耶律西躪于拓跋完顏蒙古相繼廿人磨牙吮血腥聞過百年是蒲州所閱歷固有倍蓰於彭城之八百有盡八百有盡而蒲州之長生無窮則變亂之奇自今日以迄不可推測抑又烈矣湘潭岳鄂汴淮吳越之墟耳斷雞犬目斷爨烟蒲州時一過之狐狸叫嘷鼯鼠夯跡城郭如故寂無人聲依回四顧獨自愁苦其爲漆園之所笑者又不啻垂天之於枌榆也是雖伯陽奉書子喬進藥與蒲州同

不朽吾兄豈爲之哉然則吾兄之所欲言可知已夙負奇氣博聞强識于典籍無所不窺而不得一讀東觀藏書依泊塵沙所畜泄益奇其所遇合益落既當天地反覆思有所樹立而不可得今且老矣猶日手一編孜孜矻矻與古人較量得失日斜睹景忽忽有所不樂則浮大白以驅之醉醒而吟吟倦復醉所作詩古文辭又累隊及牛腰矣此其意豈屑與今日浮華之子假聲律摭詞句以文其俗陋者鬭蕣華木槿之觀哉誠欲使天下知今日江南尚有行年六十而志不衰學益進爲呂秋崖其人者吾道不墜凡爲男

子當如是矣又何必假綏山之桃乞安期之棗爲吾
兄祝也耶是則吾兄之乞言與蒙叟謝客小戕情同
而致異也細予敢不亟稱之爲壽

于當如是矣又何必假嶽山之梯乞安期之棗為吾
兄況也而是則吾兄之乞言與蒙叟謝客小啟情同
而致異也細于跋不亟稱之為壽

東皋遺選序

吾友陸雯若既沒四年其家于故麓得其評選歷科程墨稿一卷授呂子補緝成集嗣子少未悉始末也爲序而歸之曰此不足以成雯若名然其心志嗜欲之所存不可沒也自萬曆中卿大夫以門戶聲氣爲事天下化之士爭爲社而以復社爲東林之宗子咸以其社屬焉自江淮訖於浙一大淵藪也浙之社不一皆郡邑自爲其合十餘郡爲徵會者莫盛吾兄季臣與諸子所主之澄社己卯以後季臣應徵辟詣京師不復徵會四方予時年十三因與從子約同里孫

奭子度王䀝浩如者十餘子爲徵書浩如乃以雯若來會予之交雯若始此凡社必選刻文字以爲囮媒自周鍾張溥吳應箕楊廷樞錢禧周立勳陳子龍徐孚遠之屬皆以選文行天下選與社例相爲表裏雯若于是與同社有壬午行書臨雲之選選自此始也始之社也以氣節以文字以門第世講互爲標榜然猶脩名檢畏清議案驗皂白故社多而不分及是則士習益浮薄傾險一社之中旋自搏軋鏃頭相當曲直無所坐於是郡邑必有數社每社又必有異同細如絲髮之不可理磨牙吮血至使兄弟姻戚不復相

顧塗遇宴會引避不揖拜者咸起於爭牛耳奪選席販夫牧豬皆結伴刋文淸晝爭道而不避社與選至是一變而大亂予叔姪遂支石蔽葉一聽雯若諸友之所爲雯若爲人警敏而才能高氣銳喜任事而樂多友故人人牽挽以爲私已雯若固汎應焉而道益廣也雖狙澀詭合亦欣然忘宿物而暱就之然新故遠近之間終不能徧愜則羣忌恚以爲異已排詆益急雯若意不堪出而求之兩海虎林閒當是時吳中選事漸闌而浙風方競張耳陳餘同得名者也外論優耳而劣餘耳竟佩印收麾下而餘漁獵澤中甚怨之思一得當以報耳遇雯若則大喜結驩無不至雯若感其意亦以身許之倚蕩衝冒耳不勝怒一蹄而蹶吳會之士莫不奉約束無宥讀耳之書者雯若之名大震于是耳之黨援嚙指劘骨致死于雯若而向之會壁垓下者又嫉其聲之赫也而還攻之雯若舉足左右咎責隨至刀瘡箭瘢穿穴膺膂轉鬬不休以死而耳餘之怨反解矣雯若晚益厭苦乃北抵燕南泝襄海思一豁其湮塞磊塊之氣歸而架精舍于東皐積書其中意豈止此哉其止此命也歐陽永叔悲蘇子美之被擊意不在子美予獨悲天下之擊雯若

者意專在雯若也今者社事禁絶已久犿吽牴觸之徒皆席豐資盜虛譽遨遊當途彌縫疇昔獨雯若至今被譏訶吹索爲人謝過釋罪之具尤可歎也雖然以一布衣壇坫東南者十餘年短箋四出清流奔走畫船珠袚川注雲浮龍山虎丘西湖東塕茗溪語水之間市傭婦女猶能指其讌集之處述其輿從管絃供飲舘帳之盛自復澄以來未之有也及其瓠落江湖望鎖廳一第以塞黨人志亦畀甚可哀乃天故靳之讀其書者黃口小兒俯拾膴仕而雯若竟以藍衫歛矣詡熖雖息光芒何懸篝火雨窗楓青路黑颯然歎息之聲其魂魄猶依此書也金沙婁東雲間當其盛東臯獨當其衰天豈以一雯若結社事之案乎何摧之甚也嗚呼其可悲也夫同里呂某序

今集附舊序

今日文字之壞不在文字也其壞在人心風俗父以是傳師以是授子復爲父弟復爲師以傳授子弟者無不以躁進躐取爲事躁進躐取則不得不求捷徑求捷徑則斷無出于庸惡陋劣之外者聖人之言曰性相近習相遠子弟之初爲文未有無性者也教之者曰此轉苦不合此語苦不熟此一筆太遠此一解太高此一字一句未經諸貴人用凡室中有光頭線裝書一切戒勿觀朝而鋤夕而燒薙之不至于庸惡陋劣焉不止未幾而揣摩成以取甲乙如拾遺也吾

聞之先輩大家研究聖賢之書浸淫于古文字不知墨幾丸退筆幾簏敗紙殘稿幾百束而不敢幾一得今之圈鹿欄牛胎毛尚濕諷奏之無抄仿套數朝塗而夕就矣羣謂某某已如法將必售則果如若言其所謂轉不合語不熟筆太遠解太高句字未經用及好閱光頭線裝書者大約未必售售亦離離如曉星輙曰其人數偶耳嗚呼何其言若符券也人之愛其子弟則期之以聖賢或爲名臣豪傑最下亦不失爲文章之雄何至突梯滑稽驅之使爲雞鶩梟等吾讀其文知其父兄先生之所願望不過爲拜塵黃門由

竇尚書吠籬侍郎而已故其言曰制舉業之于科目猶叩門之有甎楔也門啟斯擲之耳且君之欲入斯門也何爲也哉爲其美官也爲其多得錢也然則其視舉業也猶之乎穿窬之有鍬鍤盜俠之有斧匕耳排其闥發其秘藏負匱揭篋擔囊而趨又何甎楔之有程子曰子弟患其輕俊當教以經學念書勿令其作文字古之人以聖賢之學爲學故其視文字也猶糠粃糟魄然慮其玩物而溺志也今天下之視文字殆不啻糠粃糟魄矣豈皆學聖賢之學者與人未有不戀其妻若子者矣而游方之外者吸光景練精烝

以離坎爲媾精以嬰胎爲孕育其視棄妻子直敝屣耳情生者無不以爲難然而文信侯亦能之故一妻子也或敝屣之以度世或敝屣之以釣奇其心之善不善豈直雲淵也哉今天下之輕視夫文字也亦若是而已矣惟其視文字也輕故明知其庸惡陋劣而不以爲恥曰吾以釣聲利弋身家之腴而已程子曰灑埽應對可以至聖人則知舉業亦可以爲伊傳周名然而聞此說也則羣啞啞而笑矣魏收引據漢書以斷宗廟事諸博士笑曰未聞漢書得證經術今天下豈特以制舉業爲糠粃糟魄也哉其視四書五經

亦猶博士之於漢書焉爾謂其中有吾所當致知而力行者焉則又羣啞啞而笑耳以故學究之支離儇薄之荒僻佛老異端之說浸潤陷溺焉而不知其非比年以來亦復知有傳註矣然非眞知傳註之有切於已所當致知而力行者也特以時尚焉耳科條焉耳則其視傳註果無異于異端佛老之說也無異于異端佛老之說則今日可以爲傳註者明之日復可以爲異端佛老何則其心壞也以既壞之心而求明書理不明書理而求文字之復古是鍜根株而求華實塞江河之源而求波濤之奇險也有是哉天下明

知爲庸惡陋劣而不顧者謂挾其術無不應也蒲伏新貴人之門求其平生得力之處以爲枕秘僥倖苟竊之徒鼓其空腹妄爲大言至汚極鄙鄭重而受之如長史右軍筆法戒其子弟雖千金勿傳矣然三家之村五都之市比戶聽之其枕秘如一也雖有才人困躓場屋間不能自振亦復稍稍爲之故一省餼名之士幾及萬人其不能揣摩如法者約二千餘人其不願如法者數十人而已餘擾擾數千皆所謂如法者也而題名者不及百人耳所謂不願如法者榜必有數人焉離立于其閒此數人者殆天所以扶斯文

乎不墜乎然世卒謂如法者獲多故雖屢受鎩刖而不悔不知夫如法者以數千人中而得數十人焉不願如法者以數十人中而得數人焉其于多寡之計當必有辨矣且庸惡陋劣一也而數十人得舉數千人得黜者何也曰數十人幸而數千人不幸也夫所貴乎庸惡陋劣者謂挾其術無不應耳而亦有幸不幸焉吾又何樂乎爲庸惡陋劣者乎故曰文字有常賢科目無常遇其人當遇雖轉不合語不熟筆太遠解太高句字未經用及好閱光頭線裝書而不能禁其爲遇苟不當遇雖庸惡陋劣極揣摩如法而不能

强其爲遇人知文字不與祿命爭得失則其作文字與讀文字之心皆不出于釣聲利弋身家之腴然後視文字也重重則禮義之悦根于心而廉恥之道廹于外雖日撻而求其庸惡陋劣也不可得矣雖然以予腐儒之力與億萬庸父兄先生爭其勢必不勝又況其躁進躐取之法更有出于文字外也

庚子程墨序

乙未之冬燕坐玄覽樓羣居凼然無所用其心因與雯若同事房選于吳門市傭一室如農車大鍵閉其中匝月而竣事葢其爲日也暇而致力也專雖未必當乎古人而世亦滿志矣嗣而坊客驟以試牘程墨進則賈人鶩利視外間許可者而役之例爾也時又無事事樂爲其所驅且廹之以程期限之以額兩人從事苦不給因分理之故五科程墨則予之論居多焉酉戌以來類皆分閱而互叅凡有事一選輙屏棄他業汲汲顧景以徇賈人之志然雯若性勤而予習

者三起客亦咨嗟而去已而雯若示書曰選已成獨其序非足下手諛不可則雯若愛友之切復分其美以與我君子長者仁厚之道也顧予豈敢襲取不疑以重掩良友之德意哉爲叙其實如此若夫是科之文則雯若之予奪論次具在予尚俟受而卒業焉未卒業不敢妄有所稱述古也亦懼無當也

五科程墨序

自開闢至今茲其爲文不知凡幾何變也自今茲至不可億昇其爲文又不知凡幾何變也有腐儒焉欲起而一之必有腐儒焉起而爭之又必有腐儒焉起而調劑之夫其一之爭之調劑之是皆爲變所驅而不能用變者也善用變者有可變有不可變予天下以可變而奪之以不可變可變者文不可變者理今夫烟波雲氣斯天下之至奇且幻者也然求烟波于汚池觀雲氣于赤鹵其爲奇與幻者無有也故觀雲氣者必嶽麓求烟波者必江湖夫江湖嶽麓自開闢

至不可億昇猶故物也而天下且以爲荒忽怪異莫奇且幻于此此非烟波雲氣之力哉然烟波不能自爲起滅而雲氣不能自爲卷舒則皆江湖嶽麓之自爲奇幻而已烟波雲氣可變而嶽麓江湖必不可變文之有理則猶江湖嶽麓也其有文則烟波雲氣也以至變之文傳不變之理雖開闢至不可億昇其爲文無不可定况數科乎哉顧文運之變每視文理之勝負爲盛衰理勝于文則極治平則盛文勝則衰純乎文則亂自治而盛也文運長自衰而亂也文運促成弘以上制科之文理勝之文也嘉隆之間文與理

平之文也萬曆以至啓禎則文勝與純乎文之文也其變也如四時然寒而燠肅而和風馳而電掣卽吾操筆落紙時已迅逝而不可留蓋無瞬息不變也乃自開闢至不可億畀其爲春秋者如是其爲冬夏者如是然則非變也復也復所以爲變也是以歲之冬也必復而爲春必不復而爲秋爲夏可知也則文運之亂必復而爲治必不復而爲衰爲盛可知也天下曰文已復古然而非復也變也何則今所復者當成弘之前而不當慶曆之下也朱子曰高祖文帝詔令只三數句貞觀開元都無文章嘉祐以前其文極拙

而詞氣謹重有欲工而不能之意嗚呼此眞文運之極治哉今之復古者有是乎故曰非復也然滓者變而爲清譎者變而爲正荒怪者變而爲醇雅震震然知文之必本于理殆將以開文運之復乎由此進之使孔曾思孟以及周程張朱之書燦然復明于天下如二儀五緯經天羅次而不息庶幾猶及見成弘以上歟乃一之爭之調劑之者方且習訓詁之說實空虛浮滑之調謂若者守溪若者震川若者昆湖荆川思泉嗚呼使數君子者在今日其爲文又不知其何若也乃舍不可變之理而刻畫可變之文是猶去嶽

麓離江湖而求所謂烟波雲氣而且執繪之雲氣塑之烟波謂開闢以至億昇凡爲烟波雲氣者當如是也悲夫是爲腐儒而已矣

舊雖江湖而來所謂湖波雲氣而且執繪之雲氣遇
之湖波謂明開以至億兆凡為湖波雲氣者當如是
也悲夫是為腐儒而已矣

戊戌房書序

今天下有壞人心亂教化者若干人去之可以彊國而奸民竊盜不與焉天下有損事業耗衣食者若干人去之可以富國而冗兵濫員不與焉則庸腐之儒是已先王設庠序以養儒也非以其庸腐而養之也督以學臣訓以師長禮義以閑之廉恥以風之非聖人之書不敢觀非濂洛之理不敢從故其謹小慎微謂之庸方萬濶步謂之腐而今所謂庸腐者不然吏之庭肩相摩徑相聯者儒也胥之門頂相望踵相接者儒也行安得庸心安得腐及其分章句握三寸智

盡能索困若囚縛則爲庸腐而已矣先王非以其庸腐而養之也而其流不得不至於庸腐則豈立法之未盡善歟漢元光五年徵天下有明當世之務習先聖之術者令與計偕所謂當世之務即今之對策所謂先聖之術即今試士之經義耳當時詩分四氏易有三家治一經必精且嚴如是然易有韓氏二篇嬰所撰述蘭陵孟氏世禮春秋亦以陰陽災變名家而虎觀諸儒集五經互參同異劉安曰五行異氣而皆和六藝異同而皆通不學六經不足通一經古人治經若斯之難也自科目以八股取士而人不知所讀

何書探其數卷枕秘之籍不過一科貴人之業黜者割首裂尾私立門類沿襲抄撮俄而拾取青紫高車大馬夸耀閭里嗚呼苟如是是亦可矣幾何而不相勸以盡趨於庸腐哉蓋嘗以爲起祖龍於今日搜天下八股之文而盡燒之則秦皇且爲孔氏之功臣誠千古一大快事也然以爲科目之弊專由八股則又不然宋神宗熙寧二年議罷詩賦明經諸科以經義論策試進士蘇軾曰自文章言之論策爲有用詩賦爲無用自政治言之則詩賦策論經義俱爲無用矣哉斯言後卒用王安石議論者以爲科目之壞自此

始夫取士之以八股數百年於茲矣理學碩士出其中將相名臣出其中而盡歸科目之弊於八股可乎夫科目之弊由其安於庸腐而僥倖苟且之心生文氣日漓人才日替陳陳相因無所救止宋濂求賢論曰以愚遝智譬如以石式玉求玉如石玉無似者求智如愚萬無一獲故愚以爲欲興科目必重革庸腐之習而後可計庸腐之儒邑可得數百人累之則郡可得數千人又累之則海內可數十萬人此數十萬人者今日損十萬焉何害明日又損十萬焉何害誠黝黿學宮士必通經博古明理學爲尚即不能遽通

經遽博古遽明理學而取其庸腐者汰其三之一焉令甲甚嚴士風一變然後及期大比先試其詞臣必通經必博古必明理學者命之典試其所選士必通經必博古必明理學者也而餘亦用有司歲校士例等次之其庸腐者復汰其十之一焉如是則庸腐者無所側足而士皆務通經務博古務明理學行之數科士風大變故夫主持文運於上以清賢路求眞才此科目之所以興也今不澄其培植之原使人安於庸腐而僥倖苟且之心生則其弊無所不爲雖嚴刑峻法以釐治之而人才亦未必可得矣且此數十萬

庸腐之儒者其耳目無所開其心思無所用游談妄議武斷鄉曲以爲蠹如此而人心不壞教化不亂事業不損衣食不耗而無害於國家者未之前聞愚生長草莽不知忌諱竊冀當世之名公鉅卿留心時務者嘗輶車之採焉昔賈誼以經生陳時事大臣絳灌等畏害之論者惜其才以爲誼誠少年妄有立談之間而痛哭流涕於人主之前者也竊以爲不然誼之所言如削分藩制邊塞皆深中機窾非經生所宜言故犯時之忌耳苟職所宜言而言之言之而激切雖痛哭流涕何害今有爲經生所宜言者不得不激切

言之言之而不得其所故於是科房書而識之於首
以當吾之痛哭流涕者也

選大題序

一春爲風雨所敗筆床硯匣皆黴潤不可近書帙狼籍几案間堆積如亂雲胸徑湮鬱任其縱横弗理也有客排戶攜新貴人書及諸名家選本若干卷屬與雯若共詮次之時方悶久思一暢所蓄即取筆爲塗竄數藝客竊睨視焉則多世所欣賞者也輙大驚徐請問曰商之鼎周之彝卣識者咨嗟歎絶許直百萬實不與一錢吾見凡三年矣吾吳人鼓鑄朝莖而夕就淬以藥法罨之成五色斑駁陸離爲若水若土若血若汞若漆若灰之所侵裂則如墨如銀如綠沉如

翡翠如丹砂如蠟如瓜皮蕉葉安石榴如火齊包漿渾脫雲雷蟠螭欵識凸凹無不精好千年之色成于頃刻其所爲人故目擊之而日售千百枚故曰三年不讐眞一日賣千僞願先生其謝商周而法吳鑄也余閣筆而應曰夷光鄭旦耕者見而忘犁鉏覩無鹽宿瘤則未有不却走者惟妍醜無異形故好惡無倒置也而客曰不妻妻必夷光鄭旦天下鰥欲死故天下之愛夷光鄭旦與愛無鹽宿瘤等千載以來知已皆不再得而村艷市妝鬆髻相競則無不顛狂而願妃焉者何也淫行多而眞好色者寡故雖有夷光鄭

且與無鹽宿瘤皆雜容于鬆巠之中而莫之辨也且余估也估不善計美惡而雅計多寡今一城邑閒凡讀書者百則買書讀者三分百之一貧不能具直者富不妄費者而假錄讀者併直而共製者亦三分百之一其一則竟無須書矣凡買書者百其讀中下書者半强中下且不能讀者半弱讀最上書者百之一二耳然一二中又且有貧不能具直者而假錄讀者併直而共製者更傲岸不屑汚一顧者幾無須書矣而吾估紛然食指繁夥無不待舉火于讀書者三之一柰何舍九十餘人之所欲得而求售於未必售之

一二也余曰是未易爲若道也人必不爲習俗所移而後可以移習俗淇上之歌華周之哭匹夫婦也而足以變一國哀樂之節其情深而法善耳情雖深不能使金鐵木石爲感泣法雖善不能使螺飛喙息詰磔鉤輈者變音而諧調焉無他所本無也若夫哀而哭樂而歌此人心之所自有也哭焉而悲歌焉而肉好亦人心之所自有也自有之而不自得忽有人焉舉吾心所有者而發于聲聲成文變成方令聞者欷歔霑巾不能仰視或背決及髮或目瞯舌屈而無聲息或激越飛揚而盪魂魄搖心神動血氣余一不知

夫歌哭之至于是也於是乎凡爲哭焉思悲凡爲歌焉思肉好不期于覇而歌者皆覇不期于梁之妻而哭者皆梁之妻矣若是者匹夫匹婦不能變一國也其變一國卽一國之自爲變也况乎理義者心之所同然而文采節奏又理義之所自出傳曰人皆可以爲堯舜謂人性之無不善而有爲者皆至道也又何有於傳註之顯句字之末而不足翼程朱駕韓歐哉第使天下曉然于中正之途而詖淫邪遁之不敢作胥天下讀最上之書子方棄僞而求眞汰惡而取美之不暇而又何慮夫百中之一二也耶客起謝曰如先生利乃益多又不獨在估也

東皋遺選前集論文一則

洪永之文質朴簡重氣象濶遠有不欲求工之意此大圭清瑟也成弘正三朝猶漢之建元元封唐之天寶元和宋之元祐元豐蔑以加矣嘉靖當極盛之時瑰奇浩演氣越出而不窮然識者憂其難繼隆慶辛未復見弘正風規至今稱之文體之壞其在萬曆乎丁丑以前猶厲雅製庚辰令始限字而氣格萎薾癸未開軟媚之端變徵已見己丑得陶董中流一砥而江湖已下不能留也至于壬辰格用斷制調用挑翻凌駕攻劫意見罷遅矩矱先去矣再變而乙未則杜撰惡俗之調影響之理剔弄之法曰圓熟曰機鋒皆自古文章之所無村監學究喜其淺陋不必讀書稽古遂傳爲時文正宗自此至天啟壬戌咸以此得元魁展轉爛惡勢無復之于是甲乙之間繼以僞子僞經鬼怪百出令人作惡崇禎朝加意振刷辛未甲戌丁丑崇雅黜俗始以秦漢唐宋之文發明經術理雖未醇文實近古名搆甚多此猶未備也庚辰癸未忽流爲浮艶而變亂不可爲矣此三百年升降之大略也

東皐遺選今集論文三則

一省一科之風氣定於主司天下數科之風氣定於選手通闈卽無合作不得不因陋就簡此主司之予奪兼數命者也聚遠近先後而論斷之引繩削墨是非灼然此選手之予奪專於理者也故選手不與主司較遇合而後足以論文昔之選手大都如是故其書至今可以惠後學今之選手本領庸劣其腹之空疎手之甜俗更甚於學究秀才助彼說而張其燄昔之選手能轉天下今之選手爲天下轉故曰今之選手今之秀才之罪人也

吳次尾議萬曆末年士自本科十八房而外不知宇宙尚有何書前此作者尚有何人實學之衰極重難挽近時習尚正復如此己丑壬辰一返蔓縟而歸之醇正多老學好古之士故格力遒上乙未以來名曰模範先民實趨空疎甜俗其所見之理所宗之法不能出萬曆乙未之圓俗機鋒況能闖嘉隆以上之籬落乎戊戌己亥辛丑雅鄭互見未嘗無矯傑之作而外間盛行偏取下流不知佳文幾何盡爲俗眼所埋沒是編亦就其中澇漉耳尚恨翻圓俗機鋒寘白未盡也

次尾標摘當時俚俗字句爲文禁且曰此等惡習始於一二空疎之子以僥倖取捷後人無學無識轉相套襲日增月盛今之惡習尤甚矣目不識經史爲何物而欲練飾辭彩不得不出於俗談諢語臭穢不堪有人悟近日一名稿全部只三百字可了以爲秘妙蝍蛆甘帶鴟鼠嗜糞良不虛也嘗取次尾之義於家塾戒之其詞句字法多不及載今略舉活套陋調於此如云云 如此腔板不能盡舉可以類推使乳腥小兒弄筆如此定以爲凡胎下梢必無出息老老大大髭長面皺猶作此等見識豈不愧恥而選者密圈濃贊以爲妙法又從而傳益之其或誤後起不小也有是非羞惡之心者試思吾言知必有斷然不爲者矣

程墨觀畧論文三則

文體之敝也由選手而選手之敝也由蒙師時文法度之最淺近者如破承之貴簡切而高渾也小講之虛涵而勿盡也提挈之得脉而勿痕跡也提比之籠翻而勿急也小比之黠次老鍊也中股之開合切實也後股之推廓而不餒不泛也過文之宜反宜正緩急合度也結比之有餘勇也掉尾之力勁而有别趣也一句之當拆發也全章數節之剪裁有要也半段半句之當縮咽得氣也過脉叠句之當上瞻下顧而實做本位也連斷詳略之不可混也兩截對扇之各

有定義也立柱分股之不可合掌也布局命意之不可複叠也此宜童子試筆時講明久矣而今之巨公皆犯之選家賞歎之蒸今之選家亦今之蒙師之弟子也則豈非蒙師罪哉昔者盛時吴中大家嚴重師坐皆不惜厚幣豐養致敬盡禮以聘名宿爲師者亦自力學珍貴以副其責今皆不然欄中之牛撫有數金館穀若項王弄印刓敝視善承吾意者與之亦如其雇工然不患其無有也爲師者因各營狗監以求進既得之則媟媚順旨諂事弟子彌縫及乎僮僕以是爲固館之術然且有攫而擠之者其價日以賤其

品業日以畀其人日以衆或戲謂二千五百人爲師
其徒數十人非徒少而師多蓋人人皆可爲師也師
旣如是見文之奇博有本者憒不能句讀音釋講解
則必力求空疎活套之書以爲業使其徒速成而已
可免訶於是乎空疎活套之選家得哆然餬口於其
間亦無人不可爲選手也選生師師生選文體遂極
敝而不可返文體猶小者也使古來讀書種子於是
乎斷絕天下奇材美質於是乎無成苟且奔競之習
深而人心風俗於是乎大壞彼蒙師選手不過爲一
身一家衣食計耳曾不意禍弊之至此極也今縱不

能驟還於古願皐比論文者取淺近法度共講明之
其爲文也亦必取資於六經左國莊騷史漢唐宋作
者如程畏齋之分年日程趙攷古之學範成法具在
可倣而行也余嘗謂五方言語謠唱百里殊風無一
同者獨乞兒爹嬭之聲普天下無二今文萬喙雷同
猶此聲耳士龍怵他人之我先退之惟陳言之務去
苟力行之後有作者起必來取法是爲作者師也
程子曰今之學有三而異端不與焉一訓詁一文章
一儒者余按今不特儒者絕於天下卽文章訓詁皆
不可名學獨存者異端耳昔所謂文章蘇王之類也

訓詁則鄭孔之類也今有其人乎故曰不可名學也而有自附於訓詁者則講章是也儒者正學自朱子没勉齋漢卿僅足自守不能發皇恢張再傳盡失其旨如何王金許之徒皆潛畔師說不止吳澄一人也自是講章之派日繁月盛而儒者之學遂亡惟異端與講章掎互勝負而已異端之徒遂指講章爲程朱而所爲儒者亦自以爲吾儒之學不過如此語雖夸大意實疑餒故講章諸名宿其晚年皆歸於禪學然則講章者實異端之涉廣爲彼驅除難耳故曰獨存異端也永樂間纂脩四書大全一時學者爲靖難殺

戮殆盡僅存胡廣楊榮等苟且庸鄙之夫主其事故所摭掇多與傳註相繆戾甚有非朱子語而誣入之者蓋襲通義之悮而莫知正也自餘蒙引存義淺說諸書紛然雜出拘牽附會破碎支離其得者無以逾乎訓詁之精其失者益以滋後世之惑上無以承程朱之餘緒下適足爲異端之所笑非此余謂講章之說不息孔孟之道不著也腐爛陳陳人心厭惡良知家挾異端之術窺羣情之所欲流起而决其籓樊聰明向上之士喜其立說之高而自悔其舊說之陋無不翕然歸之隆萬以後遂以背攻朱註爲事而禍害

有不忍言者識者歸咎於禪學而不知致禪學者之爲講章也近來坊間盛行本子淺陋更甚又有增改各刻愈出愈謬然且家估戶俾取其簡便穢惡既極勢不得不變變則必將復出於異端此有心吾道者之所深憂而疾首也朱子教人但涵泳白文有未得而後看本註看註未得而後看或問今當依之爲法以本註爲主無論新舊講章一切勿泥卽大全中亦但看程朱之言其餘諸儒合於註者取之否則闕之如此則進可以求儒者之學退亦不失爲古之訓詁或庶乎其可也

學者有思辨之文有記誦之文二者工夫皆不可少今人但解記誦而不知思辨此文之所以日下也不知思辨處得力最多思辨長識見記誦長機神機神所附麗止於腔調句字若識見長則道理精法度細手筆高議論暢文品不可限量矣故思辨之文不必句句合度可讀但就一篇之中得其高出在何處其弊病在何處研窮剖析擇善而從擇不善而改故雖不佳之文皆可以長識見此卽格物之學所必當引繩批根不可使有毫髮之差者也至於腔調句字乃所以襯簟其道理法度手筆議論者固不可不熟不

熟則識見雖高不能自達然腔調句字因時爲變在一時中又有高下異同各從其所主但取其有當於已之機神者讀之極熟到行文時自有奔湊運用之妙卽解有未當局有未眞皆在所略故每有平淺無奇之文而名家反得其用又不可不知然此則不可以選限幷不必佳選而後有者是集止爲學人指示思辨之法爲增益識見之助誠虛衷細心以講究之則甲乙皆我師資也若記誦之文雖不外此中而具然聽人自取無一定之論矣

呂晚村先生文集卷五終